25 The Somontano
Designation
of Origin
in twenty-five
words

00
index

8 origin
16 history
24 tradition
32 identity
40 character
48 beauty
56 friendship
64 passion
72 pride
80 respect
88 determination
96 work
104 trust
112 heart
120 strength
136 capacity
152 charm
168 inspiration
176 innovation
184 creation
192 seduction
200 culture
208 emotion
216 success
224 future

introduction

Anniversaries afford us an excuse for celebrating time. Some also invite us to honour space. And that is the case with this one that so happily concerns us: the Somontano Designation of Origin is turning twenty-five and we would like to pay homage to the place that is our land of Somontano.

If wine is a gift from the land to the people, this book is an offering from the people to the land. A gesture of thanks for all the big and small moments it has given us. And there are many. We have so many reasons to be thankful to this piece of the world that we would need twenty-five more years to collect them all. For now, we must be satisfied with a summary of twenty-five words: origin, character, tradition, beauty, personality, friendship, history…and to sum up this summary, three words that say it all: feeling the wine.

origin

An origin, the dictionary tells us, is the "beginning, birth, source, root and cause of something". It is also the "homeland, country in which a person was born or where his/her family began or from where something comes". Origin is where one is born and raised. It is the land and the roots.

The wine of Somontano has an ancient origin and a new designation - a twenty-five year old vine with roots spanning more than twenty centuries. The Somontano Designation of Origin was created in 1984 but seems much older. The birth of new wineries, the boom of new brands and the growth in the field of professional winemaking...Can all of this have happened in such a short time? Would anyone believe that the prestige of the region and the recognition of its wines are the fruits of the labour of only a quarter century? But it's true. Somontano production currently enjoys an excellent reputation among consumers and Spain's premiere wine guides. And this is just the beginning.

1 Artasona

2 Underground structure of the Pozo Nuevo in Laluenga

history

The history of wine is a cluster of big and small stories. From pre-Christian Italics to medieval monasteries. From the winemaking vigour of the 19th century to its consolidation in the 20th. A good example is the San Julián and Santa Lucía complex in Barbastro, a historic compound in every sense.

The building, which was a hospital for several centuries, is in excellent health. It now houses the headquarters of the Somontano Regulatory Council, the Barbastro Tourism Office and the Wine Space, among other interesting tourist attractions. The former church has been reincarnated as the Somontano Interpretation Centre, a space for looking to the future while continuing to contemplate the past. A past that includes, for example, French vineyards devastated by phylloxera in the 19th century giving rise to an increase in the county's production. Or the 1960's, when the Somontano County Cooperative of Sobrarbe was created, an event that implied a dedicated commitment to the production of quality wines and which was the direct precursor to the Somontano Designation of Origin. Our history is part of our future.

3 Head-trained vine plantation

4 Trellis-trained vine plantation

3

tradition

Tradition is what parents transmit to their children. It is what remains generation after generation. Tradition is what allows us to be faithful to ourselves, to our land. It is what has kept us young for over two millennia.

It has rained and poured here since the 2nd century AD. Although it seems like a cliché, in the context that concerns us it takes on its full meaning: it is thanks to this rain that the vineyards of our region have been able to thrive - from the first Italic settlements, who imported their winemaking techniques and drove commerce, to the Middle Ages during which winemaking and wine drinking experienced tremendous growth throughout Huesca. A divine miracle? Not exactly, although the monasteries had a lot to do with it: the product of their plantations was an essential part of every mass. And every table. And from there we move on to the 19th century…but that's another story. A story, it's true, marked by tradition. A tradition as hereditary as youth. Tradition, divine treasure.

Grape pickers in Salas Altas in the 1950s

7 Cloister of the Colegiata de Alquézar

8 Fuendebaños bridge

9 Dusk at the Monastery of Nuestra Señora del Puevo

4

identity

The Designation of Origin is our identity card. So, where does this identity lie? What identifies a Somontano wine with other Somontano wines? These are philosophical questions that can only be approached in one way (like a conversation in a lift): by talking about the weather.

Looks like rain. This summer's going to be a hot one. And let's not even talk about the winter. Or about the changes in temperature at the end of spring and autumn: sudden, brusque changes like the rains that irrigate the plants. Lift culture. I'm getting off here. Have a nice day. Enjoy your holiday. And speaking of holidays, let's imagine a souvenir: a snow globe with a countryside covered in vineyards inside. When you shake the globe snow falls on the vines. Afterwards the sun comes out and its light falls like lead on limey soil. This climate holds the key to the Somontano identity. It contains its DNA. Its ID. Its D.O.

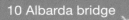

5 character

At the foot of a mountain: that's what somontano means. And Somontano, with a capital S, means the same thing but on a grander scale: at the foot of the Pyrenees. This region of Huesca is defined by this succinct but powerful truth. And these co-ordinates, of course, impart character.

An abrupt or accessible character, depending on how you look at it: from the mountain, from the plain or from the union between the two. This apparent contradiction brings to light an essential singularity of the land of Somontano, mother of old and young wines. A region of contrasts between the harshness of the climate and the gentleness of the soil. And because of all of this, the character of this region is also proud, with our eyes turned to the summits of the Pyrenees and our feet firmly on the plain. With roots buried in the earth and branches, crooked but direct, striving to reach the heavens. The heavens of the mouth, that is: the palate of the best tasters. This is the Somontano character. A character through and through.

11 Landscape between Adahuesca and Ponzano

12 Somontano landscape with the Cotiella mountain peak in the background

6 beauty

They say the beauty is on the inside. They also say that it is in the eye of the beholder. And in the nose and on the tongue. The beauty of these lands is more than the sum of the senses. In Somontano, beauty is much more.

Beauty is in the corners. It's in the details. It's in the subtlety, the colours. In the sky, the mountains, the rivers. Beauty is a portrait of vineyards blossoming in spring. It's a festival of summer clusters thirsting for harvest. A single grape holds the essence of the mountains, the valleys, of the horizon. Beauty is a compendium of autumn colours, reds and rosés that prelude the white of winter. The soul of a landscape that one tastes with the eyes and contemplates with the palate. By definition, beauty inspires the joy of the spirit. And the spirit of our wine is the inner beauty of Somontano.

13 Vineyard in Secastilla

14 Sanctuary of Torreciudad

7 friendship

The Somontano production area is made up of forty-three municipalities. Located in the centre of Huesca province, what unites them is much more than geographic proximity: it is an affective closeness. That thing called friendship.

Friendship is an old social network, a community revitalised by festivals. A meeting point of people, its power of attraction transcends borders thanks to the contagious character of friendship and its great ambassador: wine. It is no coincidence that it is the star of one of the region's most jubilant and festive events: the Somontano Wine Festival. Possessing an outgoing magnetism, wine exercises a seductive influence, a great shock wave that creates closeness and prevents complications. Wine propagates understanding and fosters communication between peoples - of Huesca and the rest of the world - through the universal language of the toast. When the purpose of the celebration is celebration itself, is anything else really needed to cultivate friendship?

18 Barbastro, main town of Somontano county

20 House in Barbastro where St. José María Escrivá de Balaguer was born

passion

For some people, passion is the opposite of action. Not for us. Our passion is synonymous with feeling, with fondness for and dedication to what we do. Our passion is what moves us: the energy that moves more than a thousand people in the same direction.

If the wine of the Somontano Designation of Origin had a secret, it would be a secret shared with more than a thousand men and women passionate about their work. The combining of efforts in a highly competitive market: this is the key that holds more than thirty wineries and five-hundred vine-growers together. The love of the vine, its roots and its fruit. Of their land and their surroundings. A landscape built by more than two thousand hands and a thousand hearts. An engine on the right track thanks to the wise conducting of the Regulatory Council. This is our "secret formula", so simple yet so difficult to imitate.

pride

Pride without arrogance but with roots. With both feet on the ground. That ground that defines us and embraces us. That goes from the foothills of the Pyrenees to the plains of the Ebro, passing - of course - through the Somontano itself: the three production zones into which this land is divided. It is divided, but it does not divide us - on the contrary - it unites us. And we are proud.

The production zones of the Somontano Designation of Origin deserve special consideration. The real Somontano, comprised of great slopes orientated to the south, is characterised by calcisol type soils with a whitish tone resulting from an accumulation of gypsum from Barbastro. To the south, loamy soils prevail. And to the northeast there are the calcareous mountains. It is these three types of terrains that, in their geological diversity, hold one thing in common: they favour the settling and development of the vine, encouraging the winemaking that so fills us with pride.

10 respect

When we talk about the environment, the word respect falls short. Nevertheless, it is the principle from which everything else emerges. Without respect there cannot be friendship, or pride, or passion. Respect is the root of a feeling that comes from reason.

Our wines are the result of a process that is not only governed by the most exhaustive quality controls, but one that is also based on tireless respect for the environment. After all is said and done, taking care of our environment is the best guarantee of quality. In the Somontano Designation of Origin the environment comes before everything else. And respecting it is at the foundation of our philosophy, the cornerstone of our culture. Because respecting nature begins with respecting oneself. Respecting the land, the vine, the grape, the wine. What we are and what we want to be.

21 Iron Forest sculpture at the Bodega Enate winery in Salas Bajas

22 Iron Forest sculpture in Salas Bajas

11
determination

The grape is the fruit of the vine. In the case of Somontano, the grape is also the fruit of perseverance. Of the determination that leads to wines that stand out from all the rest, and from one another. Whites and reds, the grapes comprise a wide range of colours and flavours. A wonderful show of varieties for every taste.

On the one hand, we've got the reds - from the class of a Cabernet Sauvignon to the versatility of a Merlot to the elegance of a Pinot Noir and the delicacy of the Tempranillo grape, the vigour of the Grenache and the exoticism of the Syrah and, of course, the purity and personality of our indigenous varieties: Moristel and Parraleta. And on the other hand, the whites - the genuine Alcañón, the Chardonnay and its expressivity, the white Grenache and its lightness, the exuberance of Gewürztraminer, the tradition in its purest style of Macabeo and the new pearls: Riesling and Sauvignon Blanc. An excellent variety of varieties in which good taste abounds. A full but select palette which, along with constant dedication, can only result in memorable masterpieces.

12 work

Work is the confabulation between craftsmanship and enthusiasm, between science and trade, between labour and care. Work is the key to harvesting great successes. And, although it manifests itself throughout the process, it has a special meaning during the grape harvest.

The grape harvest is the birth of the grape. It is the culmination of one cycle and the beginning of another - the step from the land to the man. The grape harvest is the bridge between two elements of nature. The transition between two milestones on the path toward wine. From the sum of efforts the best of all of us is born, from the land and the people: the fruit of dedication, triumph and perseverance. Because the job is big, but the result is immense - a grape destined to shape a wine list of an extraordinary nature. This is our highest reward and our best legacy.

13

trust

Trust is a question of faith, but not blind faith. It is a trust resting on solid pillars: safety, guarantee, quality...on sincerity and transparency. You don't ask for trust, you earn it. This is the main objective of the Regulatory Council of the Somontano Designation of Origin.

The Regulatory Council is a corporation of public law whose plenary consists of twelve members (representatives of the grape growers and wineries), the chairperson, vice-chairperson, secretary general and two delegates from the Government of Aragon. The Regulatory Council has several missions: safeguarding the prestige and promotion of the Designation of Origin and ensuring that quality norms are met in the vineyard and in wine production in every phase of the process from the planting of the vines to the sale of every bottle, while promoting the public Somontano brand. A set of missions all focused on achieving a single goal: being worthy of that trust.

3 Boardroom of the Regulating Board

24 Sculpture by Paco Mata

consejo regulador de la denominación de origen

SOMONTANO

L-2253 MA Nº 911893

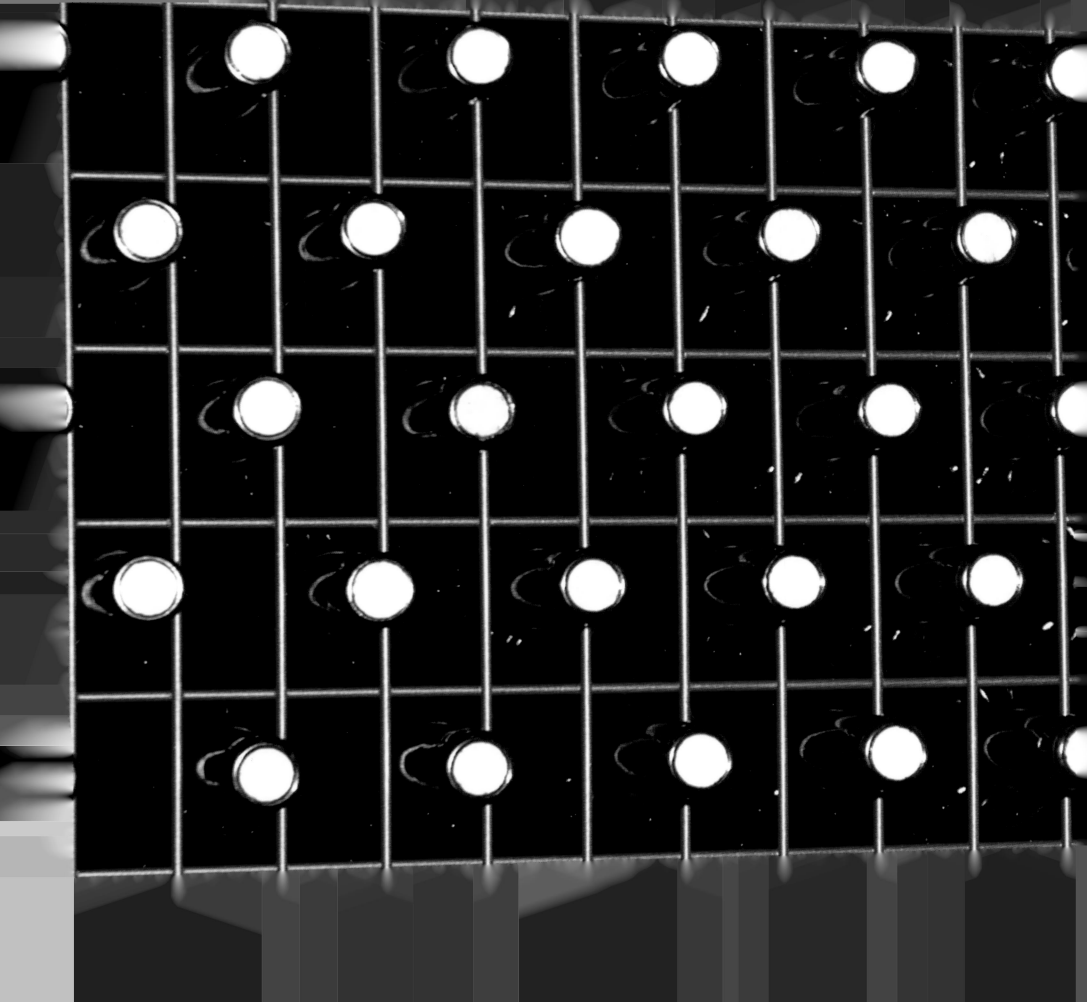

DENOMINACION DE ORIGEN
SOMONTANO

14 heart

Heart is feeling: what one feels for the wine. Heart is passion: dedication and offering to a land. Heart is systole and diastole: a pendulum of modernity, of tradition, a to and fro between the wine and the region's tourist attractions. The Somontano Wine Space is all of this. And much more.

The nerve centre of the Somontano, the Wine Space is a driving organisation of wine tourism. A muscle that pumps visual, audio, taste and life sensations made up of two rooms in which one feels the pulse of winemaking in the region. In the first, a seven metre screen submerges us in a journey through places, wineries, restaurants, accommodations…followed by a new and deeper level of immersion: a game to discover aromas. In the second room, the complete plunge: the traveller is transported through a non-stop stream of tastings, conferences and other activities. Come and see. Somontano opens its heart to tourists, winemakers and to everyone who wants to feel the heartbeat of the wine. Come and drink.

27 Tasting Room at the Wine Centre

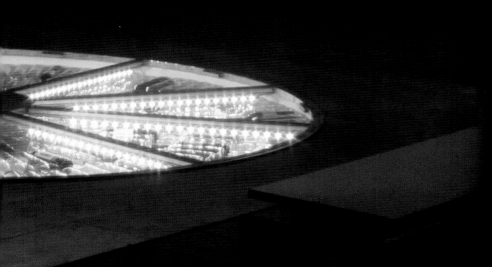

15 strength

Unity makes strength. Especially if made up of characters who are individually strong. Because strength is space, size, dimension. It's power, aptitude, efficacy. Our largest wineries are a good example of this fortitude.

The commercial development of Somontano wines is to a large extent owed to the region's large wine producers. A production that varies between one and six million bottles per year. Today and in the immediate future, the Designation of Origin has its sights set on new large-scale projects with which it hopes to take a big step forward in the conquest of the palate. Projects in which art joins forces with wine tourism thanks to an architectural conception which would make the most of two fundamental axes: the production of great wines on the one hand, and visits from tourists and experts on the other. The special integration of design and culture, or viticulture. It is there where its strength lies, the strength of Somontano.

VIÑAS
DEL VERO

← Visitas

← Tienda

31 Bodegas Laus winery

33 Bodega Pirineos winery

34 Bodegas Irius winery

35 Bodega Enate winery

36 Bodegas Olvena winery

37 Bodega Pirineos winery

16
capacity

Capacity is a word that doesn't only have to do with volume. It also refers to ability. The ability of wineries with the skill needed to defend their space doing what they know best: making unique wines of undisputable quality.

Not very big nor very small, the medium-sized wineries bring together the best of every house: the vigour of some and the family touch of others. And what unites them all, what nourishes them and encourages them: a land, a vine and a grape that makes the difference and fosters singularity. Because it is in the medium term where they find the balance that allows them to stay firmly on course and elegantly move forward. Every winery makes between one hundred thousand and a half a million bottles of wine a year. And they do so without sacrificing their personality, their path, or their culture. Without sacrificing who they are.

38 Bodega Otto Bestué winery

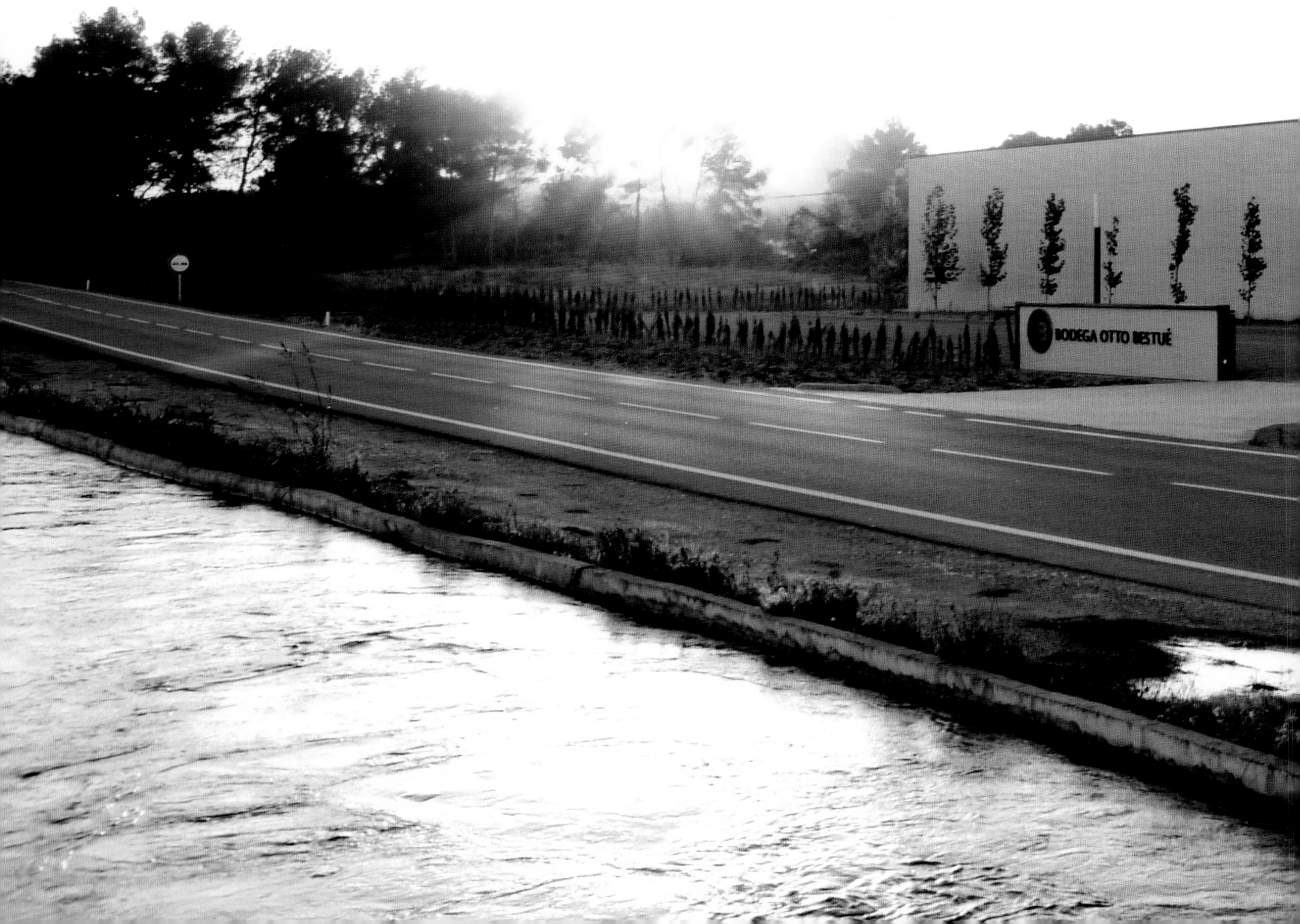

39 Bodegas Monte Odina winery

41 Bodegas Sierra de Guara winery

43 Bodega Montessa winery

44 Bodegas Meler winery

17

charm

Small but charming. Sometimes, a set phrase is much more than a phrase - it's a fact. This is the case of the family wineries of Somontano. Wineries whose small size allows them to be closer to the soil. To the roots.

They are wineries that during their intense or young history have reached maturity. An optimal level of growth: like icebergs, the largest part of them lies below ground, among the roots of the vines. Thanks to this direct contact with the soil, they enjoy a close familiarity with the vine. A continual marriage that facilitates the transmission of a spirit and a passion through unbreakable links. The result of a warm charm that cannot be tarnished by the coldness of numbers: an annual production of four to three hundred thousand bottles per winery. This is, in short, the modest charm of the small.

47 Bodega Blecua winery

49 Bodegas Lalanne winery

50 Bodega Blecua

3 Bodegas Estada winery

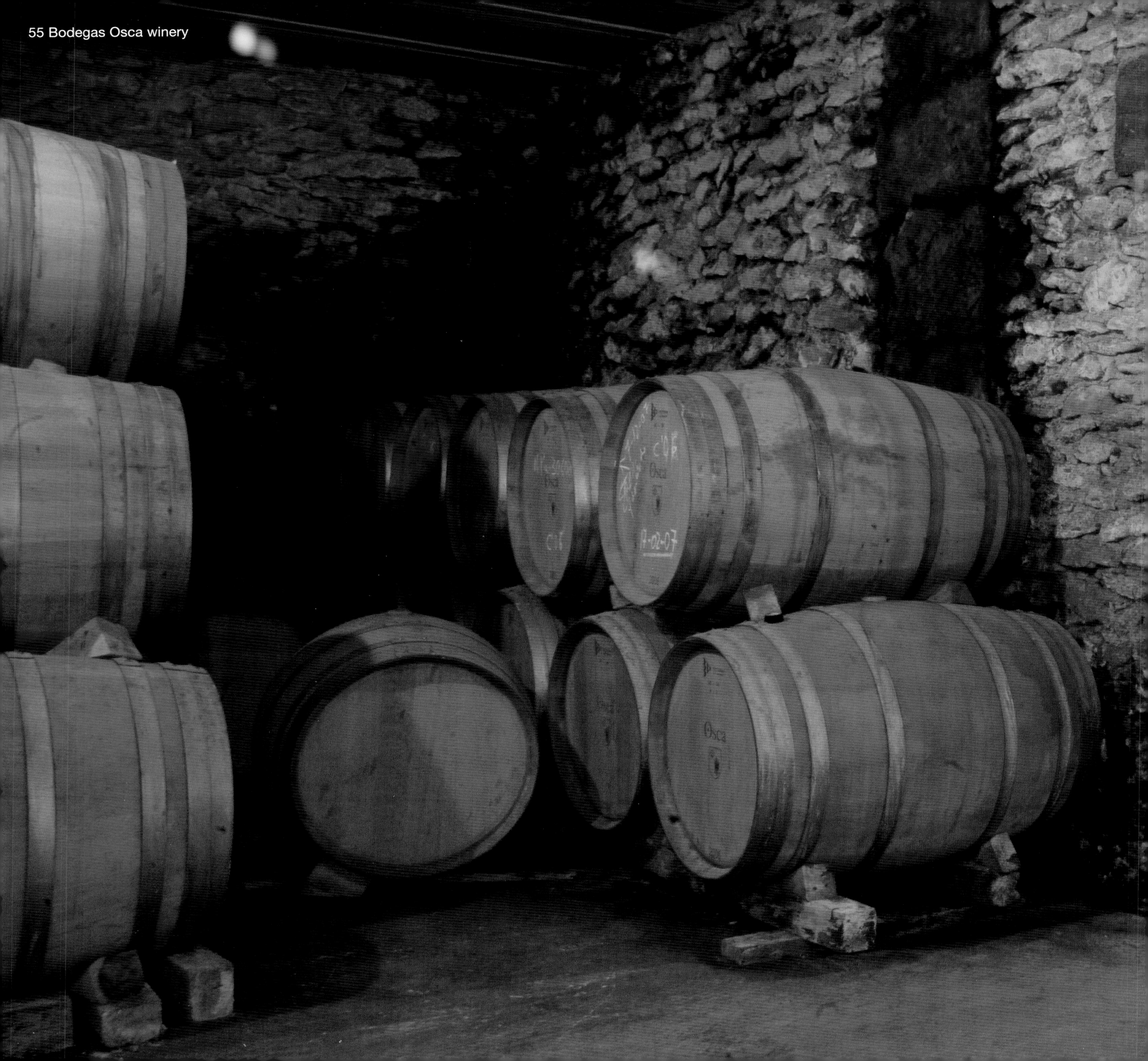

55 Bodegas Osca winery

18 inspiration

What inspires us is what stimulates us. What pushes us to be better. Wine has its muses. They are there in the land, the mountains, in the forests and in the rivers. In nature. In everything that is offered for the senses to enjoy. In everything that sparks the imagination.

Ideas arise from nature and from other ideas. They arise from history and from dreams. From that which is finished and what remains to be done. Our wineries are the architectural expression of a vision of wine. An aesthetic manifestation - or ethical manifesto - of a feeling. And not only the wineries: everything is the product of imagination because only imagination can produce real and tangible dreams. From the design of a bottle's label or cork to the content of that bottle itself. Because wine can also inspire wine. And it is the creative feedback that helps us to grow, to make the most of our identity. An identity that is the cause and consequence of ideas.

innovation

Is tradition at odds with innovation? Ignoring technological advances would be like carrying coal to Newcastle: something that, besides being absurd, would be incompatible with the subtlety required to appreciate a good wine.

The Somontano Designation of Origin has made a strong commitment to technology, with significant innovations such as satellite monitoring of vineyards and a partial root drying watering system (PRD) to save water. The Regulatory Council is also a pioneer in Spain in the implementation of a computer system to monitor the winemaking process in real time. And with synoptic panels we can track our facilities to automatically control the temperature of the tanks, or with BIDI codes on the back labels of the bottles... Because the past and the future do not move in opposite directions, but quite the contrary: time as always moves forward in pursuit of tomorrow. And that is our destination.

20 creation

Creation is not born out of nothing. It is the last step of a long path, the final stroke of a collective work. If grapes, as we've already said, are a palette of colours and flavours, wine is the canvas. Accomplishing the status of art depends on the grapes, but also - and especially - on the inspiration, talent and work of the artist.

Reds, whites, rosés. Young wines, Robles, Crianzas, Reserves, Gran Reserves. Still, sparkling, sweet and fortified wines. Varietals and blended wines. Signature wines, classics, collectables. More than two-hundred wines that make up an art gallery, or better yet - and let's put an end to the metaphor - an extensive wine gallery. Extensive, but not unlimited. The limits are drawn by a common denominator: those of their common Designation of Origin. Because all of them are distinguished by their fruity character and their perfect degree of acidity. A select profusion of wines in harmony with the tastes of today. Because art shouldn't be limited to the elitist taste of the chosen few.

ALANNI

Selección de Variedad

ÑA SAN MARCO

BLANCO

Somontano
Denominación de Origen

Fundada en 1842

07

BESP

SOMON

DENOMINACI

Laus

Es tierra, es vid.
Es uva y vino.
Es pasión. Es vida.

Tinto Crianza

2002

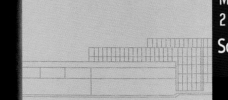

Somontano
Denominación de Origen

MELER

Merlot-Cabernet Sauvignon
2   0   0   4

Somontano
Denominación de Orígen

mipana

2006
product of spain

14%Vol   75cl

somontano
denominación de origen

inés
mon

2004

SOMON

Embotellado por Bodeg
EN RADIQUERO - ALQU

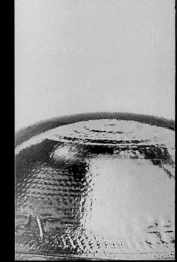

Pirineos

MARBORÉ

SOMONTANO
Denominación de Origen

arboré es el fruto de la fusión de l
ejores valores enológicos europe
rroir», origen y variedades autócton
n las virtudes vitivinícolas del Nuev
undo: viticultura de precisión
ología control. El objetivo, crear u
no en el que finura y elegan
ompañan a concentración y madure
Marboré, un vino inmenso

Embotellado por
BODEGA PIRINEOS, S.A.
R.E. Nº 3.811-HU
en Barbastro-España

,5% VOL   e 75c

TIDA
NAZAS

E LA SIERRA
ODILLA. EN VIÑEDOS
DE LA FAMILIA POBLADOS
T SAUVIGNON Y MERLOT.
NO RESPETUOSO CON
DEL SOMONTANO.
004

SOMONTANO
Denominación de Origen

Elaborado y embotellado por
degas Raso Huete Estadilla (España)
R.E.40938-HU R.S.1 309331/HU

sentif

2006

espe
enominación de orig
OMONTAN

sers
singular
fuerza23

idrias
Abiego

SOMONTANO
DENOMINACIÓN DE ORIGEN

BODEGAS SIERRA DE GUARA, SL
LASCELLAS - ESPAÑA

Viñas
de Antill

Merlot
CRIANZA
2003
SOMONTANO
Denominación de Orig

EMBOTELLADO POR:
ODEGAS VALDOVIN
SPAÑA / R.E. Nº 40.775-HU / P

VILLA D'ORTA

TINTO ROBLE
TEMPRANILLO
MERLOT CABERNET
SAUVIGNON

2006

SERIES LIMITADAS

MERLOT
SOMONTANO

DENOMINACIÓN DE ORIGEN
PRODUCT OF SPAIN

LAS SERIES LIMITADAS ESTÁN EL
NUESTRO ENÓLOGO PEDRO AIBAR EN
CON UN PRESTIGIOSO ENÓLOGO E
PARA ESTE MERLOT 2003 HEMOS CO
ENÓLOGO CHILENO MILTON H. TOY.

VIÑAS DEL VERO

21
seduction

Food is savoured with the eyes or seduction is achieved through food: however you look at it, in the game of seduction, cuisine plays a fundamental role. And although participating is what matters, this game is more interesting if you're in it to win. And to do that, food's best bet is to team up with our wines.

The climate, land and tradition of this region make Somontano a formidable quarry of excellent foods. Hams and sausages, cured pork loins and *secallonas*. Olive oils. Cheeses from the Sierra de Guara. Restaurants in which to enjoy thistles in almond sauce, Aragon roasted lamb or *alcorzao* with asparagus. It's hard to name all these dishes without bringing water to your mouth, although what the palate asks for is wine. White, red or rosé: every dish has its weakness. And let's not forget the desserts, which comprise a huge assortment based on one basic ingredient: the almond. Caramel-coated almonds, almond biscuits, Biarritz cakes, flores de Barbastro… The cuisine of Somontano brings the game of seduction to a higher level: to a great multi-sensory experience.

felices en ninguna parte. La verdad es que
a conocerle a fondo. No se dejaba. Era un
eservado y a veces me parecía que había
esarle el mundo y la gente. El señor Ca-
or muy tímido y un tanto lunático...
ue Julián vivía en el pasa
Julián vivía en el pasa

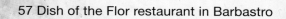

57 Dish of the Flor restaurant in Barbastro

58 Casa Samper restaurant in Salas Altas

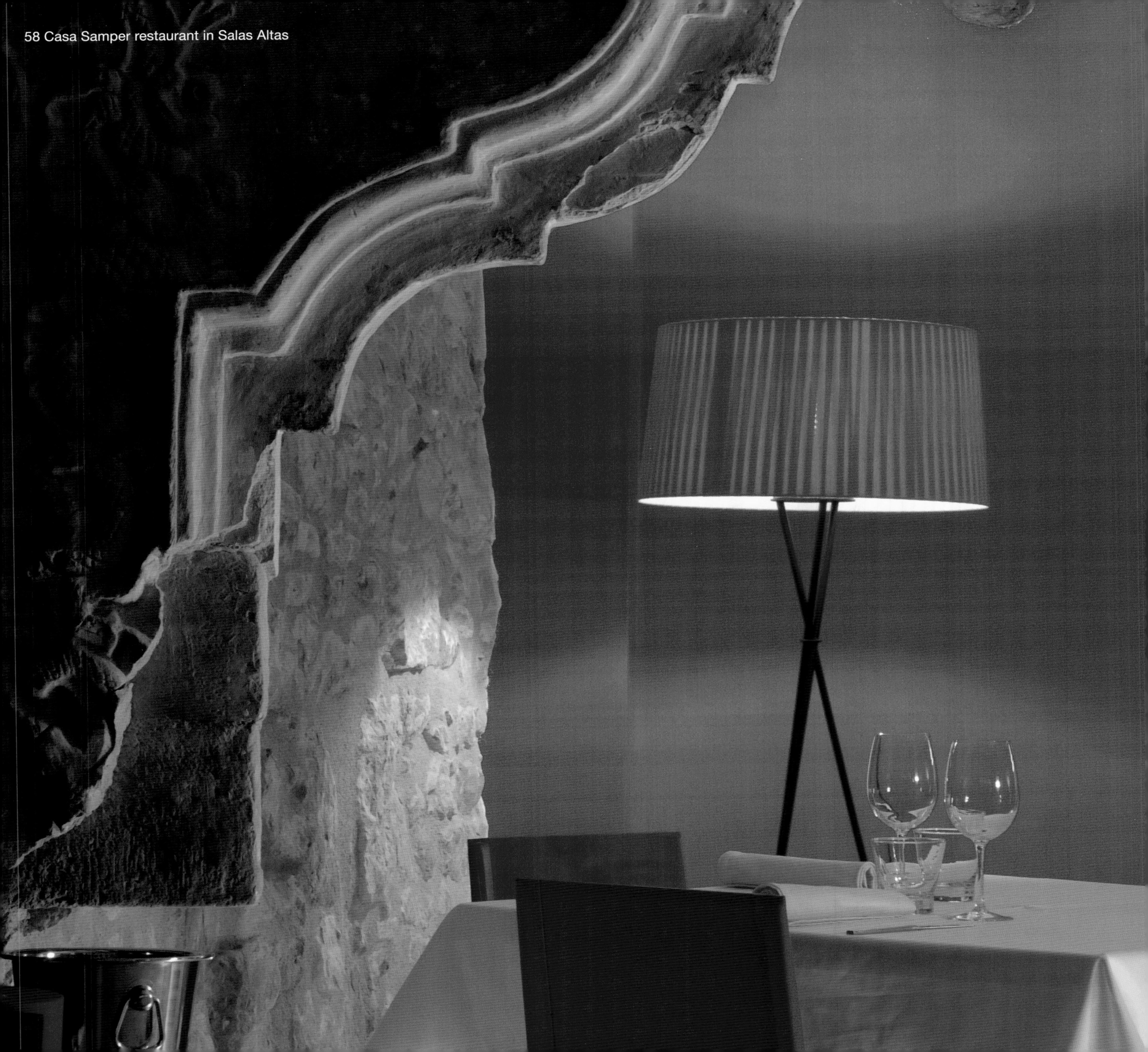

22 culture

The term *culture*, in its first sense, has the meaning of cultivation. So, we might say that wine is culture in its broadest sense…and multidisciplinary, as demonstrated in one of its greatest manifestations: the Somontano Wine Festival.

The Festival is an annual meeting point of different artistic expressions, like music and cuisine. A show that during four days in August brings musical performances by acclaimed artists together with an unbeatable culinary display, in which more than a hundred tapas are perfectly paired with an extensive wine list. All of this is seasoned with tasting courses and winery visits. But this marriage between culture and wine goes much further, as shown by the Enate winery, which houses a considerable art gallery. Or the Blecua winery, with one of the best culinary libraries in the world. In short, culture pervades everything.

61 Art Gallery in the Bodega Enate winery

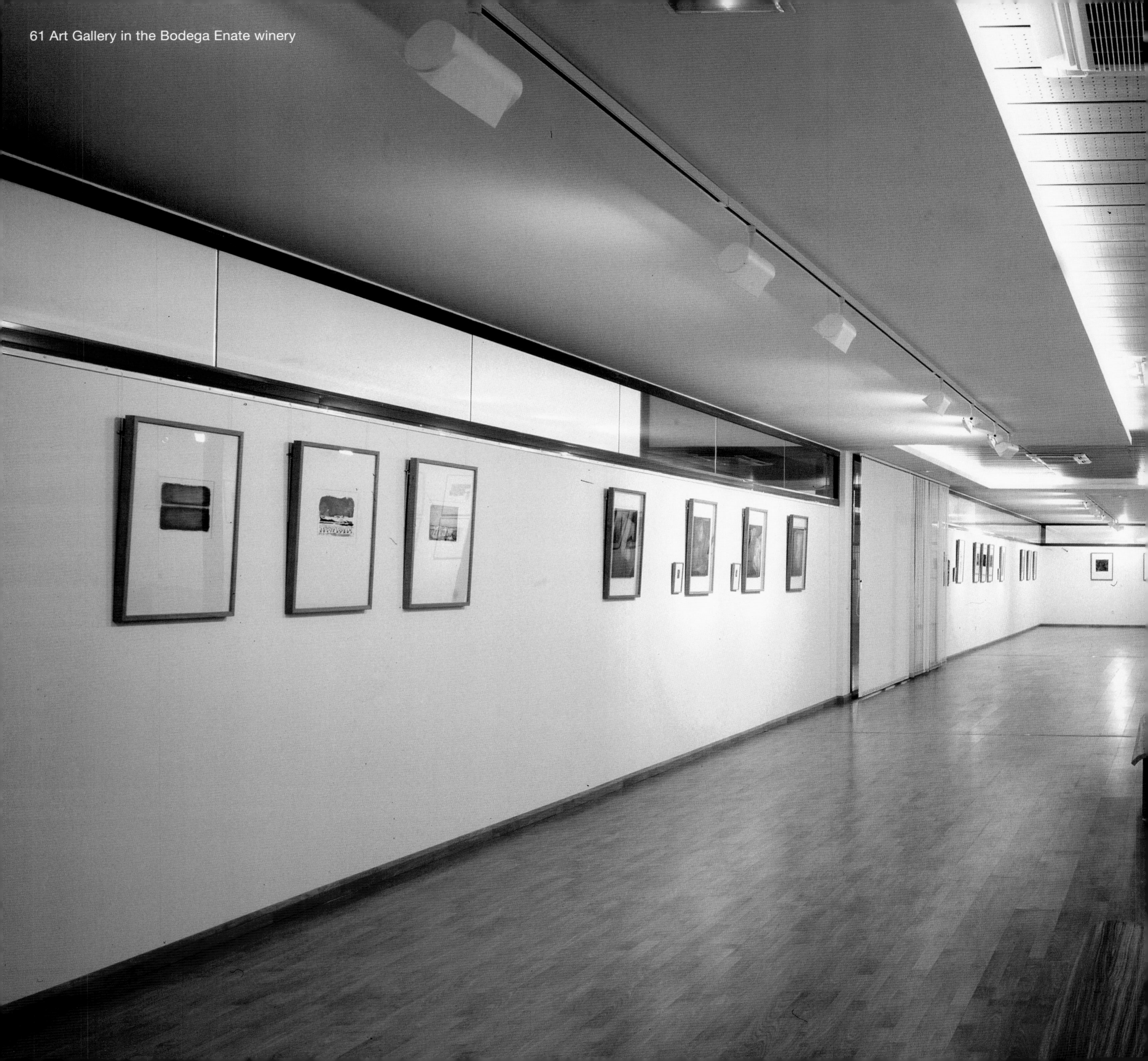

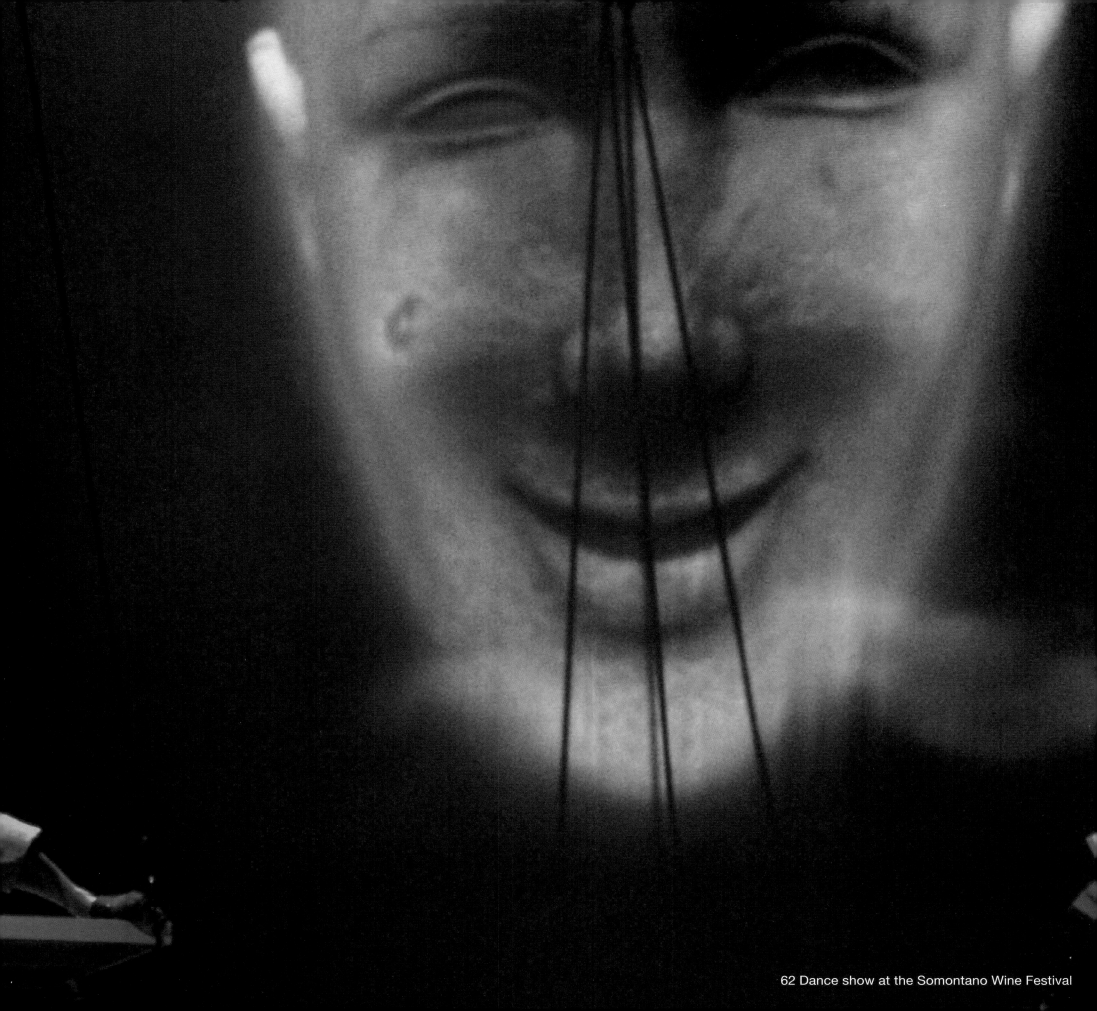

62 Dance show at the Somontano Wine Festival

23
emotion

Feeling wine is being moved by everything that surrounds you. It's a full and multi-sensory experience. A journey of immersion at different levels. From peaceful strolls through the vineyards to frenzied adventure sports: the Somontano Wine Route is all of this and much more.

Wine is the connecting thread of a wine-tourism itinerary which belongs to the Wine Routes of Spain. The San Julián and Santa Lucía complex in Barbastro is the starting line for this journey through the tradition and customs of the Somontano region. A voyage through vineyards, wineries, restaurants… An incredible opportunity to participate in wine tastings: alone or accompanied by the region's best dishes. An experience for any palate. Emotions, like wine, come in different degrees and this is clearer than ever in adventure sports. A torrent of emotions come flowing out in sports like canyoning, climbing, bungee jumping and flying, with or without an engine...and, of course, in the more restful sports like fishing or hiking. Because, in the end, wine is the excuse for making the most of the spectacular natural beauty of the Somontano countryside. And I can't think of a better one.

64 Ermita de Nuestra Señora de Treviño Chapel in Adahuesca

65 Barranco de La Peonera

25 future

The future is that which has not been written. The future is a blank page. And there is only one way to read it: by writing it. With passion, with work, with dedication, with strength, with respect... The future is what awaits us. All we have to do is go out to meet it.

Anniversaries are rear-view mirrors that let us look to the past while continuing on our way towards the future. They are crumbs we leave on our path so as not to forget our way. They are bookmarks in the library of the centuries. So this book is only a small fragment of a much larger volume: a book that is written day by day, year by year. Today we celebrate 25 years. A young but respectable age. With character. A quarter century that well deserves a party. And we blow out the candles with one clear desire: to celebrate the next 25 years with the same enthusiasm as the first day.

It will go on.

presentación

Los aniversarios nos brindan excusas para celebrar el tiempo. Algunos también nos invitan a honrar el espacio. Como éste que felizmente nos ocupa: la Denominación de Origen Somontano cumple veinticinco años y quiere rendirle un sentido homenaje a ese espacio que es nuestra tierra somontana.

Si el vino es un regalo de la tierra a la gente, este libro es una ofrenda de la gente a la tierra. Un gesto de agradecimiento por todos los grandes y pequeños momentos que nos ha proporcionado. Y no son pocos: tenemos tantos motivos para estar agradecidos a este trozo de mundo que harían falta veinticinco años más para poder reunirlos. De momento, nos conformamos con un resumen de veinticinco palabras: origen, carácter, tradición, belleza, personalidad, amistad, historia... Y, resumiendo este resumen, tres palabras que lo dicen todo: Sentir el vino.

présentation

Les anniversaires constituent d'excellentes occasions pour célébrer le passage du temps. Et certains anniversaires nous convient également à rendre hommage à un terroir. Comme celui que nous avons le plaisir de traiter : la Dénomination d'Origine Somontano célèbre ses vingt-cinq ans et veut rendre un grand hommage à ce pays qui est notre terre.

Si le vin est un don de la terre aux hommes, ce livre est une offrande des hommes au terroir. Un geste de remerciement pour tous les grands et petits moments qu'il nous a offerts. Et ils sont nombreux : nous avons tellement de raisons de lui être reconnaissants qu'il nous faudrait encore vingt-cinq ans pour pouvoir ici en faire la liste. Pour le moment, nous nous limiterons à un résumé en vingt-cinq mots : origine, caractère, tradition, beauté, personnalité, amitié, histoire... Et, pour synthétiser ce résumé, trois termes qui veulent tout dire : ressentir le vin.

origen

El origen -nos cuenta el Diccionario- es el 'principio, nacimiento, manantial, raíz y causa de algo'. También es la 'patria, país donde alguien ha nacido o tuvo principio la familia o de donde algo proviene'. El origen es donde se nace y donde se pace. Es la tierra y son las raíces.

El vino del Somontano tiene un origen antiguo y una denominación joven. Una vid de veinticinco años y unas raíces de más de veinte siglos. La Denominación de Origen Somontano fue creada en 1984 pero parece mucho más añeja. El nacimiento de nuevas bodegas, el brote de nuevas marcas y la creciente profesionalización de los viticultores... ¿Es posible que todo esto haya sucedido en tan poco tiempo? ¿Alguien puede creer que el prestigio de la zona y el reconocimiento a sus vinos sean fruto de una labor de apenas cinco lustros? Sin embargo, así es: actualmente, la producción del Somontano goza de una excelente reputación entre los consumidores y las principales guías vinícolas de España. Y esto es sólo el comienzo.

1 Artasona . 2 Estructura subterránea del Pozo Nuevo de Laluenga

origine

L'origine est - d'après le dictionnaire - « le début, la naissance, la source, la racine et la cause de quelque chose ». C'est également la « patrie, le pays dans lequel on naît, celui dont on est originaire ou duquel on vient ». L'origine, c'est là où on naît et là où grandit. C'est la terre et ce sont les racines.

Le vin du Somontano possède une origine très ancienne mais une dénomination récente. Des vignobles de vingt-cinq ans mais des racines de plus de vingt siècles. La Dénomination d'Origine Somontano a été créée en 1984, même si nous avons l'impression qu'elle est bien plus ancienne. La naissance de nouveaux domaines, l'apparition de nouvelles marques et le professionnalisme croissant des viticulteurs... Est-il possible que tout cela ait eu lieu en si peu de temps ? Comment imaginer que le prestige de la région et la renommée de ses vins soient le fruit d'un travail d'à peine cinq lustres ? Il en est pourtant ainsi : aujourd'hui, la production du Somontano est très appréciée des consommateurs et des principaux guides vinicoles d'Espagne. Et ce n'est que le début.

1 Artasona. 2 Structure souterraine du puits Pozo Nuevo de Laluenga

historia

La Historia del vino es un racimo de grandes y pequeñas historias. De los itálicos precristianos a los monasterios medievales. De la pujanza vinícola del siglo XIX a la consolidación en el XX. Un buen ejemplo es el Complejo de San Julián y Santa Lucía de Barbastro, un conjunto histórico en todos los sentidos.

El edificio, que fue hospital durante varios siglos, goza de una excelente salud: actualmente alberga la sede del Consejo Regulador, la Oficina de Turismo de Barbastro y el Espacio del Vino, entre otros puntos de interés turístico. La antigua iglesia se ha reencarnado en el Centro de Interpretación del Somontano, un espacio para mirar hacia el futuro sin dejar de contemplar el pasado. Por ejemplo, el siglo XIX cuando el viñedo francés asolado por la filoxera provoca un aumento en la producción de la comarca. O la década de 1960, con la creación de la Cooperativa Comarcal Somontano del Sobrarbe, que supone una apuesta definitiva por el vino de calidad y es la precursora inmediata de la Denominación de Origen Somontano. La historia forma parte de nuestro futuro.

3 Plantación de viñedo en vaso. 4 Plantación de viñedo en espaldera. 5 Complejo de San Julián y Santa Lucía de Barbastro, sede del Consejo Regulador de la Denominación de Origen Somontano.

histoire

L'Histoire du vin est une grappe de petites et grandes histoires. Depuis les peuples italiques pré-chrétiens aux monastères médiévaux. Depuis l'éclosion du secteur viticole au 19ème siècle jusqu'à sa consécration au 20ème. Un bon exemple en est le Complexe de San Julián y Santa Lucía de Barbastro, un site historique dans tous les sens du terme.

Ces bâtiments, qui accueillirent un hôpital pendant plusieurs siècles, sont aujourd'hui encore en excellente santé : ils accueillent dorénavant le siège du Conseil Régulateur, l'Office de Tourisme de Barbastro et l'Espace du Vin, parmi bien d'autres centres d'intérêt touristique. L'ancienne église a été réhabilitée pour devenir le Centre d'Interprétation du Somontano, un espace tourné vers le futur qui n'oublie pas de contempler le passé. Par exemple, au 19ème siècle, l'apparition du phylloxera dans les vignobles français supposa une augmentation de la production de la région. Ou encore les années 60, avec la création de la Coopérative Régionale Somontano del Sobrarbe qui illustre la volonté résolue pour un vin de qualité, et qui constitue le précurseur immédiat de la Dénomination d'Origine Somontano. L'histoire fait partie de notre futur.

3 Plantation de vignes à gobelet. 4 Plantation de vignes en espalier. 5 Complexe de San Julián y Santa Lucía de Barbastro, siège du Conseil Régulateur de la Dénomination d'Origine Somontano

tradición

Tradición es lo que se transmite de padres a hijos. Es lo que permanece generación tras generación. Tradición es lo que nos permite ser fieles a nosotros mismos, a nuestra tierra. Es lo que nos lleva a ser jóvenes desde hace más de dos milenios.

Desde el siglo II antes de Cristo hasta nuestros días ha llovido y ha llovido mucho. Aunque parezca un tópico, en el contexto que nos atañe esta afirmación adquiere pleno sentido: gracias a esta lluvia han podido prosperar los cultivos de viña de nuestra región. Desde los primeros asentamientos itálicos, que importaron sus técnicas vitivinícolas e impulsaron el comercio, pasando por una Edad Media que multiplicó el vino por toda Huesca. ¿Un milagro divino? No exactamente, aunque los monasterios tuvieron mucho que ver: el producto de sus plantaciones no podía faltar en ninguna misa. Ni en ninguna mesa. De ahí pasaríamos al siglo XIX... Pero esa es otra historia. Una historia, eso sí, marcada por la tradición. Una tradición tan hereditaria como la juventud. Tradición, divino tesoro.

6 Vendimiadores de Salas Altas en los años 50. 7 Claustro de la Colegiata de Alquézar. 8 Puente de Fuendebaños. 9 Atardecer en el Monasterio de Nuestra Señora del Pueyo

tradition

La tradition est ce qui se transmet de père en fils. C'est ce qui demeure, génération après génération. La tradition, c'est ce qui nous permet d'être fidèle à nous-mêmes, à notre terre. C'est ce qui nous pousse à être jeunes depuis plus de deux millénaires.

Depuis le 2ème siècle avant J.-C., et ce jusqu'à nos jours, il a plu, et beaucoup. Cela peut paraître évident mais pour le sujet qui nous intéresse, cela prend tout son sens : grâce à cette pluie, la culture de la vigne a pu se développer dans notre région. Dès les premiers établissements des peuples italiques qui importèrent leurs techniques vitivinicoles et furent à l'origine du commerce, en passant par le Moyen-Âge, époque pendant laquelle la vigne s'est développée dans toute la province de Huesca. Serait-ce un miracle divin ? Pas tout à fait, même si les monastères y furent pour quelque chose : le produit de leurs cultures se devait d'être présent à toutes les messes. Et sur toutes les tables. Absolument sur toutes. Puis arriva le 19ème siècle... Mais cela est une autre histoire. Une histoire tout aussi empreinte de tradition. Une tradition aussi héréditaire que la jeunesse. Tradition, divin trésor.

6 Vendangeurs à Salas Altas, dans les années 50. 7 Cloître de la Collégiale d'Alquézar. 8 Pont de Fuendebaños. 9 Coucher de soleil sur le Monastère Notre Dame du Pueyo

identidad

La Denominación de Origen es nuestro carné de identidad. Ahora bien, ¿dónde reside esta identidad? ¿Qué es lo que hace que un vino del Somontano se identifique con otro vino del Somontano? Son preguntas filosóficas que sólo pueden abordarse de una forma: como si de una conversación de ascensor se tratara. Es decir, hablando del tiempo.

Parece que va a llover. Parece que este verano va a ser caluroso. Y del invierno, mejor no hablar. Ni de los cambios de temperatura al final de la primavera y del otoño: cambios bruscos, precipitados como las lluvias que irrigan las plantas. Cultura de ascensor. Yo me bajo aquí, que tenga un buen día. Recuerdos a la familia. Y hablando de recuerdos, imaginemos un souvenir: una bola de cristal con un paisaje de viñedos en su interior. Al agitar la bola, cae una nevada sobre las vides. Después se eleva el sol y su luz se precipita a plomo sobre un suelo calizo. Este clima contiene la clave de la identidad somontana. Contiene su ADN. Su DNI. Su D.O.

10 Puente de la Albarda

identité

La Dénomination d'Origine (D.O.) constitue notre carte d'identité. Mais où réside donc cette identité ? Qu'est-ce qui fait qu'un vin du Somontano peut être assimilé à un autre vin du Somontano ? Que de questions philosophiques qui ne peuvent être abordées que d'une seule manière : comme s'il s'agissait d'une conversation maintenue dans un ascenseur. C'est-à-dire en parlant de la pluie et du beau temps.

On dirait qu'il va pleuvoir. On dirait qu'il va faire chaud, cet été. Et l'hiver, autant ne pas y penser. Ni aux changements de température à la fin du printemps et de l'automne : des changements brusques, précipités comme les pluies qui arrosent les plantes. Une culture d'ascenseur. Moi, je descends ici, au revoir. Mes amitiés à la famille. Et en parlant de souvenirs, imaginons-en un : une boule de cristal dans laquelle apparaissent des vignobles. En agitant la boule, il neige sur les vignes. Puis, la lumière fait son apparition et un soleil de plomb s'abat sur un sol calcaire. Ce climat est la clef de l'identité du Somontano. Il contient son ADN. Sa carte d'identité. Sa D.O..

10 Pont de La Albarda

carácter

Al pie de una montaña: esto significa somontano. Y Somontano, en mayúscula, significa lo mismo, pero a lo grande: al pie de los Pirineos. Con esta escueta contundencia se define la comarca oscense. Y estas coordenadas, como no podía ser de otro modo, imprimen carácter.

Un carácter abrupto o accesible, según se mire: desde la montaña, desde el llano o desde la unión de ambos. Esta aparente contradicción pone de manifiesto una singularidad esencial de la tierra somontana, madre de vinos antiguos y jóvenes. Una región de contrastes entre la dureza del clima y la blandura del suelo. Por todo ello, su carácter es también orgulloso, con la vista puesta en las cumbres pirenaicas, pero con los pies en el llano. Con las raíces clavadas en la tierra y con las ramas, sinuosas pero directas, dispuestas a ganarse el cielo. Es decir, el cielo de la boca: el paladar de los buenos catadores. Éste es el carácter Somontano. Un carácter de pura cepa.

11 Paisaje entre Adahuesca y Ponzano. 12 Paisaje del Somontano con el pico Cotiella al fondo.

caractère

Aux pieds d'une montagne : voici ce que veut dire somontano. Et Somontano, avec une majuscule, veut dire la même chose, mais en plus grand : aux pieds des Pyrénées. C'est avec cette sobre précision que l'on peut définir cette région de la province de Huesca. Et comme il ne pouvait en être autrement, cette terre est synonyme de caractère.

Un caractère abrupt ou accessible, selon la manière dont on l'aborde : depuis les montagnes, depuis la plaine ou depuis le mélange des deux. Cette apparente contradiction démontre la singularité essentielle de la terre du Somontano, mère de vins, jeunes et anciens. Une région de contrastes entre la dureté du climat et la douceur du sol. C'est pour tout cela que son caractère repose également sur la fierté, avec le regard tourné vers les sommets des Pyrénées, mais vus depuis la plaine. Avec les racines enfoncées dans la terre et les branches, à la fois sinueuses et directes, voulant rejoindre le ciel. C'est-à-dire le paradis du goût : le palais des bons dégustateurs. Tel est le caractère Somontano. Un caractère pure-souche.

11 Paysage entre Adahuesca et Ponzano. 12 Paysage du Somontano avec le pic Cotiella au fond

belleza

Dicen que la belleza está en el interior. También dicen que está en los ojos del que mira. Y en el olfato y en el gusto. La belleza de estas tierras es superior a la suma de los sentidos. En Somontano, la belleza es mucho más.

La belleza está en los rincones. Está en los detalles. Está en los matices, en los colores. En el cielo, en las sierras, en los ríos. La belleza es un lienzo de viñas brotando en primavera. Es un festival de racimos veraniegos con sed de vendimia. Una sola uva contiene la esencia de las montañas, de los valles, del horizonte. La belleza es un compendio de colores otoñales, tintos y rosados que preludian el blanco del invierno. El alma de un paisaje que se degusta con la vista y se contempla con el paladar. Por definición, la belleza infunde deleite espiritual. Y el espíritu de nuestro vino es la belleza interior del Somontano.

13 Viñedo en Secastilla. 14 Santuario de Torreciudad. 15 Pasarela sobre el río Vero en Alquézar. 16 Puente de Villacantal

beauté

Certains disent que la beauté est intérieure. D'autres disent qu'elle est dans les yeux de celui qui regarde. Et dans l'odorat, et dans le goût. La beauté de ces terres va au-delà de tous les sens confondus. Dans le Somontano, la beauté est bien plus encore.

La beauté est partout, dans le moindre recoin. Dans le moindre détail. Dans les nuances, les couleurs. Dans le ciel, les montagnes, les rivières. La beauté est une toile de vignes qui bourgeonne au printemps. C'est un festival de grappes estivales avec soif de vendanges. Un seul grain de raisin contient l'essence des montagnes, des vallées, de l'horizon. La beauté est un condensé de couleurs automnales, de rouges, de rosés qui annoncent le blanc de l'hiver. L'âme d'un paysage qui se déguste avec les yeux et s'admire avec le palais. Par définition, la beauté inspire le plaisir spirituel. Et l'esprit de notre vin est la beauté intérieure du Somontano.

13 Plantation en Secastilla. 14 Sanctuaire de Torreciudad. 15 Passerelle sur le fleure à Vero Alquézar. 16 Pont de Villacantal

amistad

La zona de producción de Somontano está formada por cuarenta y tres municipios. Situados en el centro de la provincia de Huesca, lo que les une es mucho más que una proximidad geográfica: es una cercanía afectiva. Esa cosa llamada amistad.

La amistad es una red social antigua, una comunidad dinamizada por las fiestas. Punto de encuentro de pueblos, su poder de atracción trasciende fronteras. Gracias al carácter contagioso de la amistad y su gran embajador: el vino. No por casualidad es el protagonista de una de las mayores manifestaciones de júbilo de la región: el Festival Vino Somontano. Dueño de un magnetismo extravertido, el vino ejerce un influjo seductor, una buena onda expansiva que crea complicidades y evita complicaciones. El vino propaga el entendimiento y propicia la comunicación de los pueblos -de Huesca y del mundo- a través del lenguaje universal del brindis. Cuando el motivo de celebración es la celebración misma, ¿hace falta algo más para cultivar la amistad?

17 Alquézar. 18 Barbastro, capital del Somontano. 19 Bierge. 20 Casa natal de San José María Escrivá de Balaguer en Barbastro

amitié

La région de production de Somontano s'étend sur quarante-trois communes. Situées au cœur de la province de Huesca, ces communes ont bien plus en commun que la seule proximité géographique : la proximité affective. Ce concept appelé amitié.

L'amitié est un réseau social ancien, une communauté dynamisée par les fêtes. Lieu de rencontre des peuples, son pouvoir d'attraction va au-delà des frontières. Grâce au caractère communicatif de l'amitié et de son grand ambassadeur : le vin. Ce n'est pas par hasard que le vin joue un rôle essentiel dans l'une des principales manifestations festives de la région : le Festival Vino Somontano. Maître d'un magnétisme extraverti, le vin exerce une influence séductrice, une onde expansive positive qui crée des liens et supprime les obstacles. Le vin propage la bonne entente et contribue à la communication entre les peuples - de Huesca et du monde entier - par le langage universel qui consiste à tendre son verre à l'autre. Et quand la raison de la célébration est la célébration en elle-même, a-t-on besoin de quelque chose d'autre pour cultiver l'amitié ?

17 Alquézar. 18 Barbastro, capitale du Somontano. 19 Bierge. 20 Maison de San José María Escrivá de Balaguer en Barbastro

pasión

Para algunas personas, la pasión es lo contrario de la acción. No para nosotros. Nuestra pasión es sinónimo de sentimiento, de inclinación y de entrega hacia lo que hacemos. Nuestra pasión es lo que nos mueve: la energía que hace avanzar a más de mil personas en una misma dirección.

Si el vino de la Denominación de Origen Somontano tuviera un secreto, sería un secreto compartido por más de mil mujeres y hombres apasionados por su trabajo. La unión de esfuerzos en un mercado altamente competitivo: ésta es la clave que aglutina a más de treinta bodegas y más de quinientos viticultores. El amor a la vid, a sus raíces y a su fruto. A su tierra y a su entorno. Un paisaje construido por más de dos millares de manos y un millar de corazones. Un motor que sigue el trazado correcto gracias a la sabia conducción del Consejo Regulador. Esta es nuestra "fórmula secreta", tan sencilla y a la vez tan difícil de imitar.

passion

Pour certains, la passion est le contraire de l'action. Pas pour nous. Notre passion est synonyme de sentiment, d'engagement et de conviction dans ce que nous faisons. Notre passion est ce qui nous anime : l'énergie qui fait avancer plus de mille personnes dans la même direction.

Si le vin de la Dénomination d'Origine Somontano avait un secret, ce secret serait commun au millier de personnes qui vivent leur travail avec passion. L'union des efforts sur un marché très concurrentiel : tel est le point commun de plus de trente domaines et plus de cinq-cents viticulteurs. L'amour de la vigne, de ses racines et de son fruit. De la terre et de la région. Un paysage construit par plus de deux mille mains et un millier de cœurs. Un moteur qui a pris le bon chemin grâce à la sage conduite du Conseil Régulateur. Telle est notre formule secrète, si simple et à la fois si difficile à imiter.

orgullo

Orgullo sin arrogancia pero con arraigo. Con los pies en el suelo. Ese suelo que nos define y nos engloba. Que va de las sierras prepirenaicas a las llanuras del Ebro, pasando -cómo no- por el Somontano propiamente dicho: las tres zonas de producción en que se divide este suelo. Se divide, pero no nos divide; al contrario: nos une. Y estamos orgullosos.

Las zonas de producción de la Denominación de Origen Somontano merecen una consideración especial. El Somontano propiamente dicho, constituido por grandes pendientes orientadas hacia el sur, se caracteriza por unos suelos de tipo calcisol, con su tono blanquecino resultado de una acumulación de yeso de Barbastro. Al sur, prevalecen los suelos margosos. Y al noreste, las sierras de composición calcárea. Son tres tipos de terrenos que, en su diversidad geológica, poseen un factor común: el que propicia el asentamiento y desarrollo de la vid, favoreciendo esa viticultura que tanto nos llena de orgullo.

fierté

Une fierté sans arrogance mais avec fondement. Avec les pieds sur terre. Cette terre qui nous définit et nous englobe. Qui va des montagnes des Pyrénées jusqu'aux vallées de l'Èbre en passant - bien entendu - par la région proprement dite du Somontano : les trois régions de production qui composent ce terroir qui se divise mais ne nous sépare pas ; au contraire, il nous unit. Et nous en sommes fiers.

Les régions de production de la Dénomination d'Origine Somontano méritent une attention toute particulière. Le Somontano proprement dit, sur de grandes pentes orientées au Sud, présente des terrains de type calcisol, avec des tonalités blanchâtres résultat d'une accumulation de gypse de Barbastro. Au Sud, on retrouve les sols argileux. Et au Nord-Est, les montagnes aux sols calcaires. Ce sont trois typologies de terrains qui, dans leur diversité géologique, possèdent un dénominateur commun : celui rendu possible par l'apparition et le développement de la vigne, à l'origine de cette viticulture dont nous sommes fiers.

respeto

Cuando hablamos de medio ambiente, respeto es una palabra que se queda corta. Sin embargo, es el principio del cual parte todo lo demás. Sin respeto no puede haber amistad, ni orgullo, ni pasión. El respeto es la raíz de un sentimiento que procede de la razón.

Nuestros vinos son el resultado de un proceso que no sólo se rige por los más exhaustivos controles de calidad: también se fundamenta en un incansable respeto medioambiental. Después de todo, el cuidado del entorno supone la mayor garantía de calidad. En la Denominación de Origen Somontano, el medio ambiente está por encima de todo. Y su respeto es la base de toda nuestra filosofía, la piedra angular de nuestra cultura. Porque el respeto a la naturaleza empieza por el respeto a uno mismo. A la tierra, a la vid, a la uva, al vino. A lo que somos y a lo que queremos ser.

21 Bosque de Hierro de la bodega Enate en Salas Bajas. 22 Bosque de Hierro en Salas Bajas

respect

Dans le domaine de l'environnement, le respect ne suffit pas à lui seul. Cependant, c'est également le principe sur lequel tout repose. Sans respect, il ne peut y avoir d'amitié, ni de fierté, ni de passion. Le respect est la racine d'un sentiment qui émane de la raison.

Nos vins sont le résultat d'un processus qui ne répond pas uniquement à des contrôles qualité les plus stricts : ils sont également le fruit d'un respect sans limite pour l'environnement. Car dans le fond, la préservation de l'environnement est la meilleure garantie de qualité. Pour la Dénomination d'Origine Somontano, l'environnement est au-dessus de tout. Et le respecter est la base de toute notre philosophie, la pierre angulaire de notre culture. Car le respect de la nature commence par le respect envers autrui. Envers la terre, la vigne, le cépage, le vin. Envers ce que nous sommes et ce que nous voulons être.

21 Œuvre Bosque de Hierro (forêt de fer) du domaine Enate, Salas Bajas. 22 Œuvre Bosque de Hierro, Salas Bajas

tesón

La uva es el fruto de la vid. En el caso del Somontano, la uva también es fruto de la perseverancia. Del tesón que conduce a unos vinos diferentes a todos los demás y a sí mismos. Blancas y tintas, las uvas componen una amplia paleta cromática y aromática. Un espectáculo de variedades para todos los gustos.

A un lado, las tintas: de la clase de una Cabernet Sauvignon a la versatilidad de una Merlot, pasando por la elegancia de la Pinot Noir y la delicadeza de la uva Tempranillo, el vigor de la Garnacha y el exotismo de la Syrah y, por supuesto, el casticismo y la personalidad de nuestras variedades autóctonas: Moristel y Parraleta. Al otro lado, las blancas: la genuina Alcañón, la Chardonnay y su expresividad, la Garnacha Blanca y su ligereza, la exhuberancia de la Gewürztraminer, la tradición al más puro estilo Macabeo y las nuevas perlas: Riesling y Sauvignon Blanc. Una excelente variedad de variedadesdonde reside el buen gusto. Una paleta prolija pero selecta que, unida a una dedicación constante, sólo puede dar como resultado obras memorables.

ténacité

Le raisin est le fruit de la vigne. Dans le cas du Somontano, c'est aussi le fruit de la perséverance. De la ténacité qui permet d'obtenir des vins qui se distinguent de tous les autres, et entre eux-mêmes. Blancs ou rouges, les cépages créent toute une gamme de couleurs et d'arômes. Un spectacle de variétés pour tous les goûts.

D'un côté, les rouges : de la classe d'un Cabernet Sauvignon à la capacité d'adaptation d'un Merlot, en passant par l'élégance du Pinot Noir ou la nature délicate du Tempranillo, la vigueur du Grenache et l'exotisme de la Syrah et, bien entendu, le caractère pur et la personnalité de nos variétés locales : le Moristel et le Parraleta. De l'autre, les blancs : l'authentique Alcañón, le Chardonnay et son expressivité, le Grenache Blanc et sa légèreté, l'exubérance du Gewürztraminer, la tradition dans le style le plus pur du Macabeo et les nouvelles merveilles : le Riesling et le Sauvignon Blanc. Une grande diversité de variétés présidées par le bon goût. Une gamme complète mais sélecte qui, fruit d'un travail constant, permet d'obtenir des chefs-d'œuvre mémorables.

trabajo

El trabajo es la confabulación entre artesanía y entusiasmo, entre ciencia y oficio, entre labor y esmero. El trabajo es la clave para cosechar grandes éxitos. Y, aunque se manifiesta a lo largo de todo el proceso, tiene un significado especial durante la vendimia.

La vendimia es el parto de la uva. Es la culminación de un ciclo y el comienzo de otro. El paso de la tierra hacia el hombre. La vendimia es el puente entre dos elementos de la naturaleza. Es la transición entre dos etapas en el camino hacia el vino. De la suma de esfuerzos nace lo mejor de todos nosotros, de la tierra y de la gente: el fruto de la dedicación, el triunfo de la perseverancia. Porque el trabajo es grande, pero el resultado es inmenso: una uva destinada a configurar una carta de vinos de extraordinaria índole. Ésta es nuestra mayor recompensa y nuestro mejor legado.

travail

Le travail est le mariage entre l'artisanat et l'enthousiasme, entre la science et le métier, entre le labeur et les soins apportés. Le travail est la clef pour récolter de grands succès. Et même s'il est fourni tout au long de l'année, il prend tout son sens pendant les vendanges.

Les vendanges sont l'accouchement de la vigne. C'est la fin d'un cycle et le début d'un autre. Le passage de la terre vers l'homme. Les vendanges sont la passerelle entre deux éléments de la nature. La transition entre deux étapes sur le chemin du vin. Grâce à tous ces efforts naît le meilleur de nous tous, de la terre et des hommes : le fruit du travail, le triomphe de la persévérance. Car le travail est grand mais le résultat est immense : un cépage qui figurera dans une carte des vins d'une nature extraordinaire. Telle est notre plus grande récompense, et notre meilleur héritage.

confianza

La confianza es una cuestión de fe, pero no de fe ciega. Es una confianza que se apoya en sólidos pilares: seguridad, garantía, calidad… En la sinceridad y en la transparencia. La confianza no se pide: se demuestra. Este es el objetivo principal del Consejo Regulador de la Denominación de Origen Somontano.

El Consejo Regulador es una Corporación de Derecho Público cuyo Pleno lo conforman doce vocales (representantes de los viticultores y las bodegas), el Presidente, el Vicepresidente, el Secretario General y dos delegados del Gobierno de Aragón. El Consejo Regulador tiene varias misiones: custodiar el prestigio y fomento de la Denominación de Origen y velar por el cumplimiento de las exigencias de calidad en el viñedo y la elaboración de sus vinos en todas las fases del proceso desde la plantación de la uva hasta la venta de cada botella, sin olvidar la promoción de la marca pública Somontano. Un conjunto de misiones encaminadas a una sola meta: ser dignos merecedores de esa confianza.

23 Sala de reuniones del Consejo Regulador. 24 Escultura realizada por Paco Mata. 25 Garantía de origen del Consejo Regulador

confiance

La confiance est une question de foi, mais pas une foi aveugle. C'est une confiance qui repose sur des bases solides : sécurité, garantie, qualité, etc. Sur la sincérité et la transparence. La confiance ne se demande pas : elle se démontre. Tel est le principal objectif du Conseil Régulateur de la Dénomination d'Origine Somontano.

Le Conseil Régulateur est une Corporation de droit public dont les membres comprennent douze porte-parole (représentants des viticulteurs et des domaines), un Président, un Vice-président, un Secrétaire général et deux délégués du Gouvernement d'Aragon. Ce Conseil Régulateur remplit plusieurs missions : veiller à la renommée et l'essor de la Dénomination d'Origine, veiller au bon respect des normes de qualité dans le terroir et dans le cadre de l'élaboration des vins pendant toutes les phases du processus depuis la plantation des ceps jusqu'à la vente en bouteille, sans oublier la promotion de la marque publique Somontano. Ces missions ont toutes un seul objectif : être dignes de mériter cette confiance.

23 Salle de réunions du Conseil Régulateur. 24 Sculpture œuvre de Paco Mata. 25 Garantie d'origine du Conseil Régulateur

corazón

Corazón es sentimiento: el que se profesa por el vino. Corazón es pasión: entrega y ofrenda a una tierra. Corazón es sístole y diástole: un vaivén de la modernidad a la tradición, un ir y venir entre el vino y los recursos turísticos de la comarca. Todo esto es el Espacio del Vino Somontano. Y mucho más.

Epicentro neurálgico del Somontano, el Espacio del Vino es un órgano impulsor del enoturismo. Un músculo que bombea sensaciones visuales, auditivas, organolépticas, vitales y está compuesto por dos salas donde sentir el pulso vitivinícola de la comarca. En la primera, una pantalla de siete metros nos sumerge en un viaje por lugares, bodegas, restaurantes, hospedajes… seguido de un nuevo y más profundo nivel de inmersión: un juego para descubrir los aromas. En la segunda sala, la zambullida es total: el viajero se deja transportar por un incesante flujo de catas, conferencias y otras actividades. Pasen y vean. El Somontano abre su corazón a turistas, viticultores y todo aquel que quiera sentir el latido del vino. Pasen y beban.

26 Sala de aromas en el Espacio del Vino. 27 Sala de catas en el Espacio del Vino. 28 Sala Audiovisual en el Espacio del Vino

cœur

Le cœur, c'est le sentiment : celui qui est professé par le vin. Le cœur, c'est la passion : cet engagement et cette offrande à la terre. Le cœur, c'est le mouvement permanent : un va-et-vient entre modernité et tradition, entre le vin et les ressources touristiques de la région. Tout cela, c'est l'Espace du Vin Somontano. Et bien plus encore.

Épicentre névralgique du Somontano, l'Espace du Vin est un organisme contribuant au développement de l'œnotourisme. Un muscle qui pompe des sensations visuelles, auditives, organoleptiques, vitales et qui comprend deux salles permettant de découvrir le pouls du secteur vitivinicole de la région. Dans la première salle, un écran de sept mètres nous emmène dans un voyage vers les sites, les caves, les restaurants, les auberges, etc. avant de nous immerger encore plus dans cet univers : un jeu à la découverte des arômes. Dans la deuxième salle, l'immersion est totale : le voyageur se laisse transporter par un flux incessant de dégustations, conférences et autres activités. Venez voir. Le Somontano s'ouvre aux touristes, aux viticulteurs et à tous ceux qui veulent entendre les battements de cœur du vin. Venez savourer.

26 Salle des arômes de l'Espace du Vin. 27 Salle des dégustations de l'Espace du Vin. 28 Salle audiovisuelle de l'Espace du Vin

fuerza

La unión hace la fuerza. Sobre todo si es la suma de unos caracteres que ya son fuertes en su misma individualidad. Porque fuerza es espacio, tamaño, dimensión. Es poder, aptitud, eficacia. Nuestras bodegas de mayor producción son un buen ejemplo de esta fortaleza.

El desarrollo comercial de los vinos Somontano se debe, en gran medida, a las bodegas de mayor producción. Una producción que oscila entre uno y seis millones de botellas al año. Ahora y en el futuro inmediato, la Denominación de Origen tiene la vista puesta en nuevos proyectos de gran magnitud con los que pretende dar un paso más allá en la conquista del paladar. Proyectos donde el arte se alía con el enoturismo gracias a una concepción arquitectónica que permite sacar el máximo partido a dos ejes fundamentales: la elaboración de grandes vinos, por un lado y la visita de turistas y expertos, por el otro. La integración espacial del diseño y la cultura, o vitivinicultura. Es ahí donde reside su fuerza, la fuerza del Somontano.

29 Bodega Enate. 30 Bodega Viñas del Vero. 31 Bodegas Laus. 32 Bodegas Irius. 33 Bodega Pirineos. 34 Bodegas Irius. 35 Bodega Enate. 36 Bodegas Olvena. 37 Bodega Pirineos

force

L'union fait la force. Surtout si cette union allie des caractères déjà forts dans une même individualité. Car la force est l'espace, la taille, la dimension. Le pouvoir, l'aptitude, l'efficacité. Nos domaines les plus grands sont un bon exemple de cette force.

L'essor commercial des vins Somontano est dû en grande partie aux domaines de plus grande production. Une production comprise entre un et six millions de bouteilles par an. Aujourd'hui, et à court terme, la Dénomination d'Origine a le regard tourné vers de nouveaux projets de grande ampleur qui lui permettront d'aller à la conquête de nouveaux palais. Des projets où l'art s'allie à l'œnotourisme grâce à une conception architecturale qui permet de tirer le meilleur parti de deux concepts fondamentaux : d'une part, l'élaboration de grands vins et, d'autre part, la présence de touristes et d'experts. L'intégration spatiale du design et de la culture, ou viticulture. C'est là où réside sa force, la force du Somontano.

29 Domaine Enate . 30 Domaine Viñas del Vero. 31 Domaine Laus. 32 Domaine Irius. 33 Domaine Pirineos. 34 Domaine Irius. 35 Domaine Enate. 36 Domaine Olvena. 37 Domaine Pirineos

capacidad

Capacidad es una palabra que no sólo tiene que ver con el volumen. También hace referencia a la habilidad. La de unas bodegas con la pericia necesaria para defender su espacio haciendo lo que mejor saben: unos vinos únicos de calidad indiscutible.

Ni muy grandes ni muy pequeñas, las bodegas de tamaño medio reúnen lo mejor de cada casa: el vigor de unas y el toque familiar de las otras. Y lo que las une a todas, lo que las alimenta y las tonifica: una tierra, una vid y una uva que marcan la diferencia y propician las singularidades. Porque es en el término medio donde encuentran el equilibrio que les permite mantenerse con firmeza y avanzar con elegancia. Cada bodega elabora entre cien mil y medio millón de botellas de vino al año. Y lo hacen sin renunciar a su personalidad, a su trayectoria, a su cultura. A lo que son.

38 Bodega Otto Bestué. 39 Bodegas Monte Odina. 40 Bodegas Ballabriga. 41 Bodegas Sierra de Guara. 42 Bodega Aldahara. 43 Bodega Montessa. 44 Bodegas Meler. 45 Bodegas Raso Huete. 46 Bodega Obergo

capacité

Ce terme ne se réfère pas seulement à un volume. Il fait également référence aux habilités. Celles des domaines détenant la maestria nécessaire pour défendre leur terre en offrant ce qu'ils savent faire le mieux : des vins uniques d'une qualité indiscutable.

Ni trop grands, ni trop petits, les domaines aux dimensions moyennes offrent le meilleur de chaque maison : la vigueur des uns et le caractère familial des autres. Et avec un élément qui les unit tous, qui les alimente et les tonifie : un terroir, des vignobles et des cépages qui font la différence et créent les singularités. Car c'est dans la mesure que se trouve l'équilibre qui permet de nous maintenir avec fermeté et de progresser avec élégance. Chacun des domaines élabore entre cent mille et un demi-million de bouteilles de vin par an. Et sans renoncer à sa personnalité, à son héritage, à sa culture. À ce qu'il est.

38 Domaine Otto Bestué. 39 Domaine Monte Odina. 40 Domaine Ballabriga. 41 Domaine Sierra de Guara. 42 Domaine Aldahara. 43 Domaine Montessa. 44 Domaine Meler. 45 Domaine Raso Huete. 46 Domaine Obergo

encanto

Pequeño pero con encanto. En ocasiones, una frase hecha es mucho más que una frase: es un hecho. Éste es el caso de las bodegas familiares de Somontano. Bodegas cuyo reducido tamaño les permite estar muy cerca del suelo. De las raíces.

Son bodegas que, durante su intensa o joven historia, han alcanzado su grado de madurez. Y un nivel óptimo de crecimiento: como si fueran icebergs, su mayor tamaño reside bajo tierra, entre las raíces de los viñedos. Gracias a este contacto directo con el suelo, gozan de una estrecha familiaridad con la vid. Un maridaje continuo que facilita la transmisión de un espiritu y una pasión a través de lazos inquebrantables. El resultado de un cálido encanto que no podrá ser empañado por la frialdad de los números: una producción de cuatro mil a trescientas mil botellas anuales por bodega. Éste es, en definitiva, el discreto encanto de los pequeños.

47 Bodega Blecua. 48 Bodegas Fábregas. 49 Bodegas Lalanne. 50 Bodega Blecua. 51 Bodegas Lalanne. 52 Bodegas Sers. 53 Bodegas Estada. 54 Bodegas Alodia. 55 Bodegas Osca

charme

Petit mais plein de charme. Parfois, une expression toute faite est bien plus qu'une expression : c'est un fait. Et c'est le cas des domaines familiaux de Somontano. Des domaines qui, grâce à leurs petites dimensions, sont plus proches de la terre. Des racines.

Ce sont des caves qui, pendant leur intense ou jeune histoire, ont atteint leur niveau de maturité. Et un niveau de croissance optimum : un peu comme les icebergs, leur plus grande partie se trouve sous terre, entre les racines et les vignes. Grâce à ce contact direct avec le sol, elles comprennent la vigne à la perfection. Une alliance permanente qui permet la transmission d'un esprit et d'une passion à travers des rapports indestructibles. Le résultat d'un charme feutré qui ne doit pas être rompu par la froideur des chiffres : une production annuelle de quatre mille à trois-cents mille bouteilles par domaine. Voici, en définitive, le charme discret des petits.

47 Domaine Blecua. 48 Domaine Fábregas. 49 Domaine Lalanne. 50 Domaine Blecua. 51 Domaine Lalanne. 52 Domaine Sers. 53 Domaine Estada. 54 Domaine Alodia. 55 Domaine Osca

inspiración

Lo que nos inspira es lo que nos estimula. Lo que nos empuja a ser mejores. El vino tiene sus musas. Están ahí: en la tierra, en las montañas, en los bosques y en los ríos. En la naturaleza. En todo lo que se ofrece al disfrute de los sentidos. En todo lo que puede disparar la imaginación.

Las ideas surgen de la naturaleza y de otras ideas. Surgen de la historia y de los sueños. De lo hecho y lo que queda por hacer. Nuestras bodegas son la plasmación arquitectónica de una visión del vino. Una manifestación estética -o manifiesto ético- de un sentimiento. Y no sólo las bodegas: todo es producto de la imaginación porque sólo la imaginación puede producir sueños reales y tangibles. Desde el diseño de una etiqueta o el corcho de una botella hasta el propio contenido de la misma. Porque el vino también sirve de inspiración para el vino. Y es esta retroalimentación creativa la que nos ayuda a crecer, a sacarle el máximo partido a nuestra identidad. Una identidad que es causa y consecuencia de las ideas.

inspiration

Ce qui nous inspire, c'est ce qui nous stimule. Ce qui nous incite à progresser. Le vin possède ses propres muses. Elles sont bien là : dans la terre, les montagnes, les forêts et les rivières. Dans la nature. Et dans tout ce qui s'offre à nos sens. Dans tout ce qui peut éveiller l'imagination.

Les idées viennent de la nature et des autres idées. Elles surgissent de l'histoire et des rêves. De ce qui a été fait et de ce qui reste à faire. Nos domaines sont le témoignage architectural d'une conception du vin. Une manifestation esthétique - ou manifeste éthique - d'un sentiment. Et pas seulement les domaines : tout est le fruit de l'imagination, car seule l'imagination peut créer des rêves réels et tangibles. Depuis la conception d'une étiquette ou d'un bouchon d'une bouteille, jusqu'à son contenu. Car le vin sert aussi d'inspiration pour le vin. C'est cette rétro-alimentation créative qui nous aide à progresser, à tirer le meilleur parti de notre identité. Une identité qui est la cause et la conséquence des idées.

innovación

¿La tradición está reñida con la innovación? Ignorar los avances tecnológicos sería como ponerle puertas al campo: algo que, además de absurdo, resultaría incompatible con la sutileza necesaria para apreciar un buen vino.

La Denominación de Origen Somontano apuesta fuertemente por la tecnología. Con importantes innovaciones como el control de los viñedos vía satélite o el sistema de riego por PRD -acrónimo inglés de Desecación Parcial de Raíces-, que permite un mayor ahorro de agua. Además, el Consejo Regulador es pionero en España en la implantación de un sistema informático de control de la vendimia en tiempo real. Y podríamos seguir con la instalación de paneles sinópticos para controlar de forma automática la temperatura de los depósitos o con el uso de códigos BIDI en las contraetiquetas de las botellas… Porque el pasado y el futuro no se mueven en direcciones opuestas, sino todo lo contrario: el tiempo siempre ha avanzado persiguiendo el mañana. Y ése es nuestro destino.

innovation

Tradition et innovation sont-elles incompatibles ? Ignorer les progrès technologiques serait comme refermer notre terroir sur lui-même : une chose qui, en plus d'être absurde, s'avérerait incompatible avec la subtilité nécessaire pour apprécier un bon vin.

La Dénomination d'Origine Somontano mise de manière résolue sur la technologie. Avec d'importantes innovations comme le contrôle des vignes par satellite ou encore le système d'irrigation par PRD - acronyme anglais voulant dire Assèchement Partiel des Racines - qui permet d'économiser l'eau. De plus, le Conseil Régulateur est pionnier en Espagne dans l'implantation d'un système informatique de contrôle des vendanges en temps réel. Et nous pourrions continuer avec l'installation de panneaux synoptiques pour le contrôle automatique de la température des cuves ou le recours aux codes BIDI sur les contre-étiquettes des bouteilles… Car le passé et le futur ne sont pas incompatibles, mais tout le contraire : le temps s'est toujours écoulé à la recherche du lendemain. Et c'est cela notre destin.

creación

La creación no parte de la nada. Es el último paso de un camino largo, el broche final de una obra colectiva. Si las uvas -como ya hemos dicho- son una paleta de colores y aromas, el vino es el lienzo. Que alcance la categoría de arte depende de las uvas, pero también -y sobre todo- de la inspiración, el talento y el trabajo del artista.

Tintos, blancos, rosados. Jóvenes, Robles, Crianzas, Reservas, Grandes Reservas. Tranquilos, espumosos, dulces y de licor. Varietales y de coupage. De autor, clásicos, de colección. Más de doscientos vinos que configuran una pinacoteca, o mejor -y damos por finalizada la metáfora-: una vinoteca extensa. Extensa, pero no ilimitada. Los límites los pone un denominador común: los de su común Denominación de Origen. Porque todos se distinguen por su carácter afrutado y su adecuado punto de acidez. Una selecta profusión de vinos en sintonía con los gustos de hoy. Y es que el arte no tiene por qué estar circunscrito al gusto elitista de unos pocos entendidos.

création

La création ne se fait pas à partir de rien. Ce sont les derniers mètres d'un long chemin parcouru, le couronnement d'une œuvre collective. Si, comme nous l'avons dit, les cépages créent une palette de couleurs et d'arômes, le vin en est la toile. Une toile qui se transforme en art en fonction des cépages mais également - et surtout - grâce à l'inspiration, le talent et le travail de l'artiste.

Rouges, blancs, rosés. Jeunes, boisés, de garde, réserves, grand réserves. Tranquilles, mousseux, doux et liquoreux. Variétaux et de coupage. D'auteur, classiques, de collection. Plus de deux-cents vins créent une pinacothèque, ou plutôt - terminons-en avec les métaphores - : une grande vinothèque. Grande mais pas illimitée. Les limites sont fixées par un dénominateur commun : celles de la Dénomination d'Origine que les vins ont en commun. Car tous ces vins se distinguent de par leur caractère fruité et juste niveau d'acidité. Une profusion sélecte de vins en accord avec les goûts d'aujourd'hui. En effet, l'art ne doit pas se limiter aux préférences élitistes de quelques experts.

seducción

La comida entra por la vista o la seducción entra por la comida: se mire como se mire, en el juego de la seducción la gastronomía desempeña un papel fundamental. Y aunque lo importante es participar, este juego resulta más interesante si se sale a ganar. Para ello, lo ideal es que los alimentos formen equipo con nuestros vinos.

El clima, la tierra y la tradición convierten al Somontano en una formidable cantera de excelentes alimentos. Jamones y longanizas, lomos embuchados y "secallonas". Aceites de oliva. Quesos de la Sierra de Guara. Restaurantes donde degustar un buen cardo con salsa de almendras, un ternasco de Aragón o un "alcorzao" con espárragos. Es difícil enumerar todos estos platos sin que se haga la boca agua, aunque lo que pide el paladar es vino. Blanco, tinto o rosado: cada plato tiene su debilidad. Y no nos olvidemos de los postres, que componen un gran surtido basado en un ingrediente fundamental: la almendra. Garrapiñadas, sequillos, pasteles Biarritz, flores de Barbastro… La gastronomía somontana lleva el juego de la seducción a un nuevo nivel: el de gran espectáculo multisensorial.

56 La Posada de Lalola en Buera. 57 Plato del restaurante Flor en Barbastro. 58 Restaurante Casa Samper en Salas Altas. 59 Plato del restaurante Flor en Barbastro. 60 Restaurante del Consejo Regulador de la D.O. Somontano en Barbastro

séduction

La bonne cuisine se mange du regard, et la séduction opère par le plaisir du palais : une chose est sûre, dans le jeu de la séduction, la gastronomie joue un rôle essentiel. Et même si l'important est de participer, ce jeu devient plus intéressant si on est venu pour gagner. À ce titre, l'idéal est que les aliments fassent équipe avec nos vins.

Le climat, la terre et la tradition font du Somontano une formidable région avec d'excellentes spécialités gastronomiques. Des jambons, des saucissons secs, des lomos embuchados et des secallonas. Des huiles d'olive. Des fromages des montagnes de la Sierra de Guara. Des restaurants où déguster un bon cardon à la sauce aux amandes, un ternasco d'Aragon ou un alcorzao aux asperges. Difficile d'énumérer toutes ces spécialités sans avoir l'eau à la bouche, même si le palais raffole d'autre chose : du vin. Blanc, rouge, rosé : chaque spécialité a sa faiblesse. Et n'oublions pas les desserts : une grande sélection qui repose, pour la plupart, sur un ingrédient de choix : l'amande. Pralinées, sèches, gâteaux Biarritz, fleurs de Barbastro… La gastronomie du Somontano pousse le jeu de la séduction jusqu'à l'extrême : celui d'un grand spectacle multisensoriel.

56 Auberge La Posada de Lalola, Buera. 57 Spécialité du restaurant Flor, Barbastro. 58 Restaurant Casa Samper, Salas Altas. 59 Spécialité du restaurant Flor, Barbastro. 60 Restaurant du Conseil Régulateur du D.O. Somontano, Barbastro

cultura

El término cultura, en su primera acepción, tiene el significado de cultivo. Entonces, podemos decir que el vino es cultura en su sentido más amplio… y multidisciplinar, como lo demuestra una de sus mayores manifestaciones: el Festival Vino Somontano.

El Festival es punto de encuentro anual de diferentes expresiones artísticas, como la música y la gastronomía. Un espectáculo que en cuatro días de agosto reúne actuaciones musicales de artistas consagrados con una Muestra Gastronómica insuperable, en la cual se dan cita más de cien tapas y una extensa carta de vinos. Todo ello aderezado con cursos de cata y visitas a las bodegas. Pero este maridaje entre la cultura y el vino va mucho más allá, como lo demuestra la Bodega Enate, que alberga una importante Sala de Arte. O la Bodega Blecua, con una de las mayores bibliotecas gastronómicas del mundo. Definitivamente, la cultura lo impregna todo.

61 Sala de Arte en la Bodega Enate. 62 Espectáculo de danza en el Festival Vino Somontano. 63 Concierto del Festival Vino Somontano en la Plaza de Toros de Barbastro

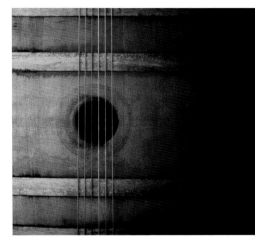

culture

Dans le premier sens du terme, la culture veut dire cultiver la terre. On peut donc dire que le vin est la culture au sens le plus large… et multidisciplinaire, comme le démontre l'un des principaux événements de la région : le Festival Vino Somontano.

Le Festival constitue chaque année le lieu de rencontre de nombreuses expressions artistiques comme la musique et la gastronomie. Un spectacle qui, pendant quatre jours au mois d'août, accueille des concerts d'artistes consacrés et un Salon gastronomique sans égal avec un concours de plus de cent tapas et un grand choix de vins. Le tout agrémenté de dégustations et de visites des caves. Mais ce mariage entre la culture et le vin va bien au-delà, comme le montre le domaine Enate qui possède une importante salle d'exposition d'œuvres d'art. Ou le domaine Blecua, avec l'une des plus grandes bibliothèques gastronomiques du monde. Il ne fait aucun doute que la culture est partout.

61 Salle d'exposition du domaine Enate. 62 Spectacle de danse lors du Festival Vino Somontano. 63 Concert pendant le Festival Vino Somontano organisé dans les arènes de Barbastro

emoción

Sentir el vino es emocionarse con todo lo que lo rodea. Es vivir una experiencia plena y multisensorial. Un viaje de inmersión a diferentes niveles. De los plácidos paseos por los viñedos a los frenéticos deportes de aventura: todo esto y mucho más es la Ruta del Vino Somontano.

El vino es el hilo conductor de un itinerario enoturístico perteneciente al club de las Rutas del Vino de España. El Complejo de San Julián y Santa Lucía de Barbastro es la casilla de salida de este recorrido por la tradición y las costumbres del Somontano. Una travesía por viñedos, bodegas, restaurantes… Una oportunidad inmejorable para participar en catas de vinos: solos o en compañía de los mejores platos de la comarca. Una experiencia para todos los paladares: la emoción, como el vino, tiene diferentes grados como demuestran los deportes de aventura. Un torrente de emociones que se desbocan en el descenso de cañones, la escalada, el puenting o el vuelo con o sin motor…, sin olvidar deportes más reposados como la pesca o el senderismo. Porque, al final, el vino es la excusa para aprovechar a fondo la espectacular naturaleza del paisaje somontano. Pero no se nos ocurre una excusa mejor.

64 Ermita de Nuestra Señora de Treviño en Adahuesca. 65 Barranco de La Peonera. 66 Casa Alodia en Alquézar. 67 Restaurante La Bodega del Vero en Barbastro

émotion

Ressentir le vin, c'est s'émouvoir avec tout ce qui l'entoure. C'est vivre une expérience totale et multisensorielle. Une immersion à différents niveaux. Depuis les promenades placides au cœur des vignobles jusqu'aux frénétiques sports d'aventure : la Route du Vin Somontano est tout cela à la fois, et bien plus encore.

Le vin est le fil conducteur d'un circuit œnotouristique qui fait partie des Routes du Vin d'Espagne. Le Complexe de San Julián y Santa Lucía de Barbastro constitue le point de départ de ce voyage à la découverte des traditions et des coutumes du Somontano. Une découverte des vignobles, des caves, des restaurants… Une occasion unique pour participer à des dégustations de vins : seuls ou accompagnés des meilleures spécialités gastronomiques de la région. Une aventure pour tous les palais : tout comme le vin, l'émotion se vit avec différents niveaux d'intensité, comme le prouvent les sports d'aventure. Un torrent d'émotions qui se matérialise par le canyoning, l'alpinisme, le saut à l'élastique ou tout type de vol motorisé ou non… Sans oublier les sports plus tranquilles comme la pêche ou la randonnée. Parce que, finalement, le vin est un excellent prétexte pour découvrir la nature spectaculaire des paysages du Somontano. Et nous ne connaissons pas de meilleur prétexte que celui-ci.

64 Ermite Notre Dame de Treviño, Adahuesca. 65 Gorges de La Peonera. 66 Maison Alodia à Alquézar. 67 Restaurant La Bodega del Vero, Barbastro

éxito

El éxito suele asociarse con un final feliz. Pero el éxito de la Denominación de Origen Somontano no tiene nada de final. Ni de punto y aparte. Como mucho, de punto y seguido. O suma y sigue. Nuestro éxito no es un final, pero es feliz.

Es un éxito de todos. De los viticultores, los bodegueros, los catadores, los taberneros, los sumilleres, los mayoristas, los minoristas, el Consejo Regulador, las empresas, las instituciones… y, en definitiva, de toda la gente del Somontano. Gracias a todos ellos, nuestros vinos han tenido una buena cosecha de premios y reconocimientos. Sin embargo, el mayor éxito es haber llegado hasta aquí. Hasta este lugar de honor entre las denominaciones de origen más prestigiosas de España. Esto es lo que más nos llena de orgullo, pero no vamos a subirnos a la parra. Ahora nos toca seguir así y demostrar que continuamos siendo dignos de todos los premios recibidos hasta el momento. Porque los finales -aunque sean felices- tienen más que ver con las perdices que con el vino.

succès

Le succès est en général associé à une fin heureuse. Mais le succès de la Dénomination d'Origine Somontano n'a rien de révolu. Ni d'interrompu. Tout au plus, un intermède. Ou une continuité. Notre succès n'est pas une fin, mais il est heureux.

C'est le succès de tous. Des viticulteurs, des cavistes, des dégustateurs, des cabaretiers, des sommeliers, des grossistes, des détaillants, du Conseil Régulateur, des entreprises, des institutions… et, en définitive, de tous les habitants du Somontano. Grâce à tous, nos vins se sont vus décerner de nombreux prix et distinctions. Cependant, notre plus grand succès est d'être parvenus jusque là. Jusqu'à cette place d'honneur parmi les dénominations d'origine les plus prestigieuses d'Espagne. Nous en sommes fiers, mais nous n'allons pas perdre la tête pour autant. Nous devons poursuivre nos efforts et démontrer que nous sommes toujours dignes des prix et distinctions obtenus jusqu'à maintenant. Car toute fin, heureuse soit-elle, appartient davantage aux contes de fée qu'au monde du vin.

futuro

El futuro es lo que no está escrito. El futuro es una página en blanco. Y sólo hay una forma de leerlo: escribiéndolo. Con pasión, con trabajo, con tesón, con fuerza, con respeto… El futuro es lo que nos espera. Nosotros sólo tenemos que ir a su encuentro.

Los aniversarios son espejos retrovisores que nos permiten mirar el pasado mientras seguimos avanzando hacia el futuro. Son marcas que vamos dejando a nuestro paso para no olvidar el camino. Son puntos de libro en la biblioteca de los siglos. Por eso, este libro es sólo un pequeño fragmento de un volumen mucho más grande: un libro que se escribe día a día, año a año. Hoy celebramos veinticinco años. Una edad joven pero respetable. Con solera. Un cuarto de siglo que bien vale una fiesta. Y soplamos las velas con un firme deseo: celebrar los próximos veinticinco con la ilusión del primer día.

Continuará.

futur

Le futur, c'est ce qui n'est pas encore écrit. Le futur, c'est une page blanche. Et il n'y a qu'une manière de la lire : en l'écrivant. Avec passion, travail, ténacité, force, respect… Le futur, c'est ce qui nous attend. Il ne nous reste plus qu'à aller à sa rencontre.

Les anniversaires sont comme des rétroviseurs qui nous permettent de regarder vers le passé tout en poursuivant notre chemin vers le futur. Ce sont des repères que nous laissons sur notre passage pour ne pas oublier le chemin. Ce sont des marque-pages dans la bibliothèque des siècles. Cet ouvrage est donc un petit fragment d'un volume beaucoup plus grand : un livre qui s'écrit au fil des jours, au fil des ans. Nous célébrons aujourd'hui nos 25 ans. Un jeune âge, mais déjà respectable. Avec un grand héritage. Un quart de siècle qui se doit d'être fêté. Nous soufflons nos bougies avec un souhait : pouvoir célébrer les 25 ans à venir avec l'enthousiasme du premier jour.

À suivre.

25

The Somontano
Designation
of Origin
in twenty-five
words

credits

25 The Somontano Designation of Origin in twenty-five words

First edition, April 2011
© Consejo Regulador de la Denominación de Origen Somontano

Texts
© Alberto Ramos

Design and lay-out
AT

Correction and translation
Teclat

Documentation
Consejo Regulador de la Denominación de Origen Somontano

General coordination
AT

Editorial coordination
Novatesa

Production and printing
Novatesa

Legal Deposit number: B-11.088-2011
ISBN: 978-84-615-0030-7

bodegas

Bodegas Monclús winery
Bodegas Osca winery
Bodegas Fábregas winery
Bodegas Lalanne winery
Bodega Viñas del Vero winery
Bodega Enate winery
Bodega Pirineos winery
Bodegas Valdovinos winery
Bodega Blecua winery
Bodegas Dalcamp winery
Bodega Otto Bestué winery
Bodegas Olvena winery
Bodegas Sierra de Guara winery
Bodegas Laus winery
Bodegas Ballabriga winery
Aldahara Bodega winery
Bodegas Raso Huete winery
Bodegas Abinasa winery
Bodegas Irius winery
Bodegas Meler winery
Bodegas Alodia winery
Bodegas Estada winery
Bal d'Isábena Bodegas winery
Bodega Montessa winery
Bodegas Obergo winery
Bodegas Sers winery
Bodegas Monte Odina winery
Bodega Sentif winery
Bodega Villa d'Orta winery
Bodega Mipanas winery
Bodegas Lasierra winery
Bodegas Chesa winery